NOURRIR
LES HOMMES

DOMINOS
Collection dirigée par Michel Serres
et Nayla Farouki

LOUIS MALASSIS

NOURRIR LES HOMMES

Un exposé pour comprendre
Un essai pour réfléchir

DOMINOS
Flammarion

Louis Malassis. L'auteur a beaucoup contribué au développement de l'économie agro-alimentaire au niveau mondial. Il fut successivement professeur aux écoles d'agronomie de Rennes et de Montpellier, directeur de l'Institut agronomique méditerranéen (CIHEAM), et directeur général de l'enseignement et de la recherche au ministère de l'Agriculture. Il a participé à la fondation de l'Association internationale d'économie alimentaire et agro-industrielle dont il est actuellement le président. Président fondateur d'Agropolis à Montpellier, il est aussi président d'Agropolis-Muséum et membre de l'Académie d'agriculture de France. Passionné d'enseignement, il a formé des étudiants et des chercheurs de nombreux pays du monde.

Ses principales publications sont :

Agriculture et processus de développement : essai d'orientation pédagogique, Les Presses de l'UNESCO, 1978 (2e éd.).
Ruralité, éducation, développement, Les Presses de l'UNESCO, 1966, Masson, 1975, Jakarta, 1982.
L'Économie alimentaire (4 t.), Cujas, t. I, *Économie de la consommation et de la production agro-alimentaire*, 1994 (2e éd.) ; t. II, *Développement et économie agro-alimentaire*, à paraître ; t. III, *L'Économie mondiale* (en collaboration avec Martine Padilla), 1987 ; t. IV, *Politiques alimentaires* (Martine Padilla), à paraître.
Initiation à l'économie agro-alimentaire (ouvrage collectif), Hatier-Aupelf, 1992.
Histoire sociale de l'agriculture et de l'alimentation (2 t.), à paraître.

ISBN : 2-08-035171-0
Imprimé en France

Sommaire

La première fois qu'apparaît un mot relevant d'un vocabulaire spécialisé, explicité dans le glossaire, il est suivi d'un *

Avant-propos

L'homme, comme tous les vivants dont il descend et comme tous ceux qui l'entourent, doit subvenir à sa nourriture* pour survivre. Depuis le début de l'humanité, il y a environ trois millions d'années, il s'est sans cesse posé la question de sa survie : « Comment me nourrir ? » Nous appelons système* alimentaire la réponse donnée à cette question. Un système alimentaire est un ensemble d'activités coordonnées qui permet à l'homme de se nourrir. C'est aussi la façon dont les hommes s'organisent, dans l'espace et dans le temps, pour obtenir et consommer leur nourriture.

« Nourrir les hommes » est ici entendu dans le sens de « nourrir tous les hommes ». Cet ouvrage est donc une brève confrontation historique et géographique des systèmes alimentaires.

Après avoir approfondi la notion de système alimentaire, nous aurons recours à l'histoire pour tenter de repérer l'ensemble des facteurs qui déterminent ces systèmes. Nous nous limiterons à la zone méditerranéo-européenne où se forment successivement l'âge pré-agricole, l'âge agricole et l'âge agro-industriel.

L'Europe est à peu près parvenue à se libérer du problème de la faim. Mais dans de nombreuses zones du monde subsistent disettes et famines. Le vieux combat de l'homme pour une nourriture quotidienne, saine et abondante, est loin d'être gagné. L'interrogation sur le devenir du « combat inachevé » sera notre champ final de réflexion.

Manger.
Manger est un acte de vie que l'homme répète quotidiennement.
Les aliments tiennent une place importante dans la symbolique religieuse et sociale.
Mais les aliments changent dans l'histoire de l'humanité et dans l'espace.
C'est ce que devrait nous conter l'histoire et la géographie alimentaire.
Ph. © Annie Reffet / Explorer.

Systèmes alimentaires et histoire de l'alimentation

Pour rendre compte de la réalité alimentaire au cours de l'histoire et dans le monde, il nous faut forger des concepts capables d'englober le plus grand nombre de variables explicatives. C'est pourquoi, dans le cadre de cet ouvrage, nous retiendrons la notion de « système de production et de consommation alimentaire », ou plus simplement de « système alimentaire ». Cette notion intègre l'ensemble des activités qui concourent à la fonction alimentation dans une société donnée, et représente la façon dont les hommes s'organisent pour produire et consommer, ainsi que le niveau et la structure de leur consommation.

Il faut se garder d'une approche exclusivement technique, car l'alimentaire procède de la société envisagée dans sa totalité, comme le montrent la géographie et l'histoire.

La géographie tout d'abord, car il est évident que l'inégalité alimentaire entre les différents pays du monde, et entre les catégories sociales à l'intérieur de chaque pays, ne s'ensuit pas seulement de la différence dans le développement scientifique et technologique et de la diffusion des connaissances. Elle dépend, en un lieu donné, des rapports des hommes avec la nature (rapports entre « sociétés » et « milieux ») et des rapports des hommes entre eux, ces deux rapports étant d'ailleurs fortement liés.

L'histoire ensuite, car les sciences agronomique et alimentaire, sciences appliquées dont le développement a suivi celui des sciences fondamentales, arrivent fort tard au secours de l'homme. Leurs effets au stade de la pratique agricole ne se font guère sentir avant le XIXe siècle. Des Mésopotamiens jusqu'aux Occidentaux du XVIIIe siècle, en passant par les Phéniciens, les Grecs, les Carthaginois, les Romains et les Andalous, l'histoire connaît une lignée d'agronomes dont elle a conservé les noms. Mais leur rôle s'est le plus souvent borné à codifier les bonnes pratiques plutôt qu'à proposer de réelles innovations. Tout au long de la civilisation humaine, le progrès reposa sur l'accumulation des expériences des cueilleurs, puis des cultivateurs. C'est en « courant » après sa nourriture que l'homme fit un prodigieux bond culturel et structura les premières formes d'organisation sociale.

L'histoire constitue une voie privilégiée, car la succession des faits qu'elle rapporte nous interroge. Elle nous permet d'avoir une vue d'ensemble des différentes adaptations culturelles des systèmes alimentaires qu'exige le changement historique. Cela montre que l'histoire de l'alimentation procède de l'histoire générale et qu'elle est une histoire sociale.

L'histoire de l'alimentation et l'histoire agricole sont étroitement liées, car l'homme consomme avant tout des produits agricoles (la pêche ne représente guère aujourd'hui que 1 % des calories consommées dans le monde et environ 5 à 10% des protéines). L'histoire permet non seulement de suivre l'homme dans sa tentative de maîtriser le phénomène alimentaire, mais aussi de bien comprendre que cette maîtrise, si elle s'appuie sur une science triomphante, est loin d'en découler exclusivement : manger est aussi un acte politique !

L'humanité n'a pas gagné son vieux combat contre la faim, et il peut être intéressant de relire l'histoire, de nous interroger sur ses enseignements, pour construire notre devenir : nous verrons que ces derniers sont d'une grande richesse, et que ses interrogations majeures sont toujours les nôtres. Les formes nouvelles du combat inachevé, notre champ final de réflexion, intègrent la compréhension des victoires et des échecs alimentaires de l'humanité ainsi qu'une estimation de sa capacité à produire.

Systèmes alimentaires

Systèmes d'obtention des aliments

La règle universelle de la vie est que le vivant se nourrit de vivant. Le vivant tue pour vivre et la « douce nature » est une jungle meurtrière. La vie s'organise sur des chaînes et des pyramides alimentaires. La base en est constituée par les plantes qui nourrissent les herbivores (ou consommateurs primaires), et sur eux s'édifient des chaînes de carnivores plus ou moins complexes.

Le Soleil, source des énergies sur lesquelles reposent les chaînes alimentaires, détermine aussi les rythmes des saisons, et donc celui des activités agricoles – le temps des semailles et celui des récoltes... celui des labeurs et celui des fêtes. C'est pourquoi certaines civilisations ont accordé tant d'importance au Soleil, source de toute vie, l'ont adoré ou magnifié.

Tous les aliments* de l'homme sont issus du vivant. Omnivore, l'homme a l'avantage de pouvoir se nourrir de végétal et d'animal. Au stade de la cueillette, il prélève en différents points des chaînes alimentaires naturelles et, au stade de l'agriculture, il « artificialise » la nature et soumet le vivant en construisant les chaînes de sa propre alimentation.

L'agriculture et l'élevage sont des processus de production alimentaire qui reposent sur la transformation de l'énergie solaire en énergie alimentaire, par l'intermédiaire d'espèces domestiquées. Ainsi, la terre est un espace de captation de l'énergie solaire ; elle est aussi le support des plantes et apporte les facteurs indispensables à leur croissance (eau et nutriments*). L'homme peut consommer des végétaux ou des animaux, mais ces deux types de consommation ne sont pas équivalents en ressources alimentaires.

Depuis Lavoisier, les flux énergétiques sont évalués en calories*. Tous les « bioconvertisseurs » de la chaîne alimentaire fonctionnent à perte. C'est ainsi qu'il faut en moyenne sept calories végétales (CV) ou initiales* (CI) pour obtenir une calorie animale (CA). La consommation alimentaire peut donc s'écrire de deux façons : en calories finales* (CF), c'est-à-dire les calories dans la bouche du consommateur (CF = CV + CA), et en CI, c'est-à-dire les calories nécessaires pour obtenir une calorie dans la bouche du consommateur, ou consommation de ressources alimentaires (CI = CV + CA × 7). Si la ration journalière est de 3 500 calories dans la bouche du consommateur, dont 1 400 calories animales, celle-ci s'écrit en CI de la façon suivante :

2 100 CV + (1 400 CA × 7) = 11 900 CV ou CI

Pour rendre encore plus explicite la quantification de la consommation de ressources alimentaires, on peut transformer les CI en équivalents céréales* (EC). Sachant que 1 kilo de céréales vaut environ 3 500 CV, la ration précédente vaut donc en EC :

$$11\,900/3\,500 = 3{,}4 \text{ EC}$$

Cette ration est à peu près celle d'un habitant d'Europe du Nord en 1990. De façon analogue, on peut calculer que la ration moyenne des pays les plus pauvres, de l'ordre de 2 000 CF dont 5 % de CA, vaut 0,7 EC. L'occidentalisation des niveaux de consommation des pays les plus pauvres n'est pas pour demain !

Mais de tels calculs sont très approximatifs. La moyenne de 7 CV pour 1 CA connaît une forte dispersion selon les espèces et les modes d'élevage. Les calories ne sont pas homogènes : elles comprennent des glucides, des protides, des lipides, des vitamines, des minéraux. Cependant ces calculs sont d'un grand intérêt, car ils permettent d'effectuer des comparaisons et d'estimer les niveaux de productivité du travail ou de la terre compatibles avec les niveaux de consommation, réels ou attendus.

Les matières premières alimentaires ont toujours nécessité une série d'opérations préalables pour être consommées, tels la transformation (égrenage, découpage, broyage, filtration, etc.), le transport, la conservation (fumage, salage, réfrigération, etc.), et la préparation culinaire (cuisson, cuisine). La succession de ces opérations est aussi appelée chaîne* d'opérations alimentaires.

Le système de production alimentaire s'analyse en secteurs fonctionnels (dont chacun effectue des opérations définies) et socio-économiques (correspondant à des formes déterminées d'organisation sociale). Ainsi, au sein d'une économie capitaliste, le secteur alimentaire tend lui-même vers des structures techniques et sociales de forme capitaliste. En revanche, dans une économie de subsistance, la plupart des opérations de la chaîne alimentaire s'effectue au «foyer». Avec le développement des villes, de l'industrie et de l'économie internationale, les systèmes alimentaires deviennent de plus en plus complexes, marqués par une division croissante du travail social.

Dans les pays développés, les activités alimentaires se répartissent en six secteurs principaux. Tout d'abord l'agriculture, l'élevage et la pêche, bases irremplaçables de l'alimentation humaine, fournissent des aliments frais consommables sans transformations préalables, et surtout des matières premières alimentaires destinées à être traitées par les industries. Celles-ci fournissent les aliments agro-industriels*, qui sont de plus en plus des aliments services*, facilitant ainsi le travail domestique (aliments prêts à cuire, précuits, cuisinés, etc.). La distribution agricole et alimentaire diffuse les aliments dans l'espace et dans le temps, pour les mettre quotidiennement à la disposition du consommateur. La restauration propose aux consommateurs des nourritures servies, qui suppriment totalement le travail domestique. Les «industries et services» liés à la chaîne alimentaire fournissent les biens d'équipement (machines et installations diverses) et de production (énergie, engrais, emballages, etc.) dont cette chaîne a besoin pour fonctionner. Enfin le secteur de la consommation regroupe les unités socio-économiques de consommation (USEC) telles que les ménages et les collectivités privées ou publiques.

L'ensemble de ces secteurs compose le système alimentaire. Mais celui-ci est aussi caractérisé par la forme d'organisation sociale qui domine dans une société donnée. Ainsi, dans les sociétés capitalistes, le secteur alimentaire comprend un secteur artisanal (agriculture, distribution, restauration, etc.), un secteur coopératif (coopératives de production et de consommation), et un secteur capitaliste (petites et moyennes entreprises, multinationales agro-alimentaires).

Les principes fondamentaux de l'analyse systémique (ou analyse mathématique des systèmes) ont été appliqués au système alimentaire. Ils impliquent d'identifier ce dernier au sein de la société (repérer toute activité qui concourt à la fonction alimentation), d'en décrire la structure (secteurs fonctionnels et sociaux), de repérer les flux entre les composantes du système (énergétique, valeurs, innovations, etc.), d'analyser les mécanismes de régulation des flux et des structures (marché, intervention de l'État) et d'évaluer les résultats du système. La comptabilité nationale contribue à représenter et à caractériser les systèmes alimentaires et à les comparer.

Une telle analyse du système alimentaire est indispensable pour comprendre la façon dont les hommes s'organisent pour se nourrir. Il faut en effet considérer le système dans sa totalité pour déterminer les formes d'organisation alimentaire. Cette notion de système va guider nos réflexions.

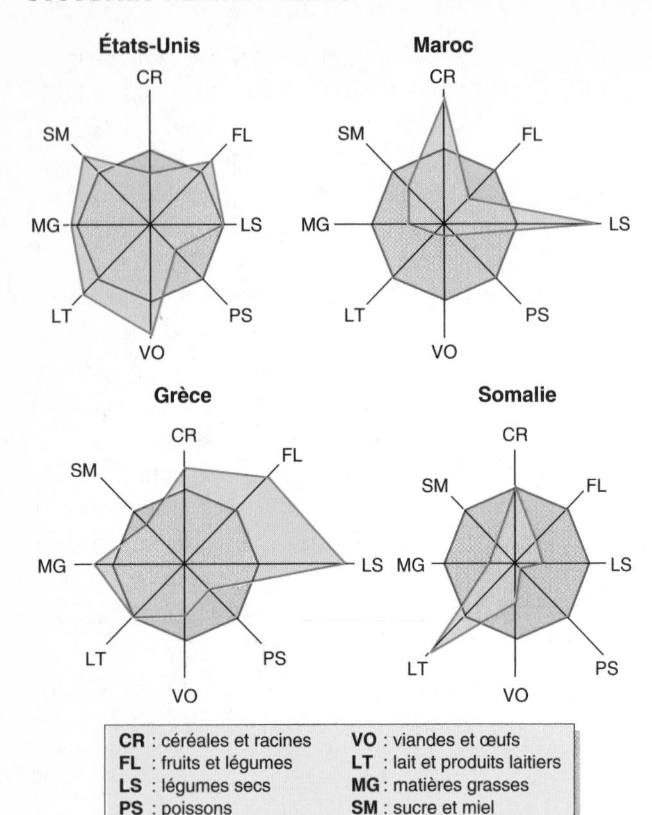

Source : Louis Malassis, Martine Padilla, 1986.

Quelques profils agro-nutritionnels.
Les profils agro-nutritionnels expriment les disponibilités relatives (en indices) en calories finales par habitant, par rapport à la moyenne des pays occidentaux (= 100). Ils montrent l'originalité des modèles par rapport au modèle occidental et entre les pays. Les modèles sont caractérisés par les indices supérieurs à la moyenne.

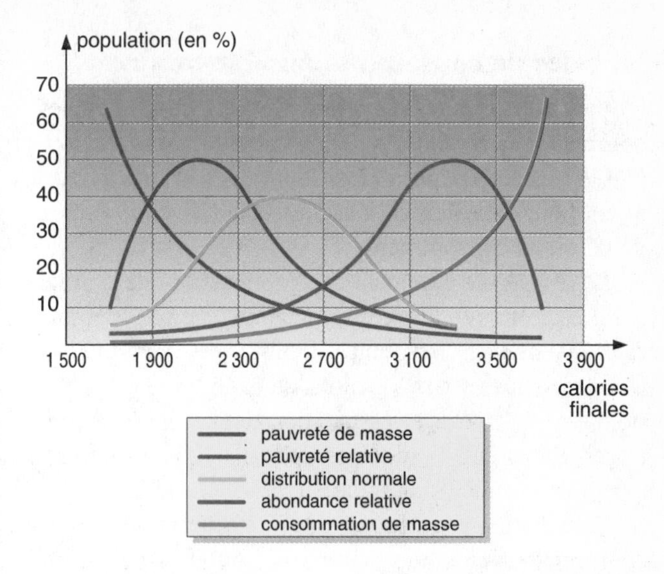

Distribution sociale et consommation alimentaire.
Ces courbes illustrent la répartition de la population d'après les niveaux de consommation exprimés en calories finales. Les courbes sont théoriques et expriment des situations types.
Les courbes de pauvreté de masse (PM) sont celles des pays les plus pauvres ; celles de consommation de masse (CM) caractérisent les pays les plus riches. Entre ces extrêmes existent les courbes des situations intermédiaires.

Le modèle américain est à forte consommation relative de produits d'élevage, de matières grasses et de sucre. Le modèle grec est en quelque sorte l'opposé : il est caractérisé par une forte consommation de produits végétaux. Le modèle marocain est typique des pays pauvres : céréales et légumes secs. Le modèle somalien est typique des modèles nomades : céréales et lait.

Modèles de consommation alimentaire

L'objet des systèmes de production est de nourrir les hommes. Les modèles de consommation alimentaire* (MCA) caractérisent la façon dont les hommes s'organisent pour consommer, ainsi que la nature et le volume de ce qu'ils consomment.

Le MCA se rapporte à l'organisation de l'unité socio-économique de consommation (famille patriarcale ou ménage restreint, nombre de personnes à charge par actif), aux fonctions de cette unité (approvisionnement, stockage, préparation des repas), aux pratiques alimentaires (systèmes culinaires, prises alimentaires) et « manières de table » (culture et société), etc.

Le volume et la structure de la consommation sont définis par les quantités d'aliments consommés par tête, par les rations comptabilisées en calories finales ou initiales, et définies par la proportion de calories végétales et animales, par les quantités de nutriments (grammes de glucides, de protéines, de lipides), par la nature et l'importance des vitamines et des minéraux, etc.

Les MCA représentent la consommation par strates sociales définies (par catégories de revenus, par exemple). Leur connaissance implique des enquêtes de consommation. L'Organisation des Nations unies pour l'alimentation et l'agriculture (*Food and Agriculture Organization* - FAO) a développé une méthode globale, aisée à mettre en œuvre, qui permet de calculer des moyennes de consommation par pays. Ces moyennes recouvrent des MCA plus ou moins disparates et sont plus ou moins significatives, mais favorisent des comparaisons à l'échelle internationale. Pour éviter leur confusion avec les MCA proprement dits, nous avons appelé ces moyennes des « modèles agro-nutritionnels* » (MAN).

MAN et MCA sont visualisés par l'établissement de profils agro-nutritionnels (*cf.* schéma p. 20). On peut ainsi, sur la base des bilans alimentaires publiés par la FAO, établir une géographie mondiale de l'alimentation. Cette géographie montre la grande plasticité alimentaire et nutritionnelle de l'homme, capable de s'adapter à des situations physiques et humaines fort diverses.

Cependant, les moyennes par pays sont d'autant moins significatives que la dispersion de la consommation est plus forte autour de la moyenne. Lorsque les informations disponibles sont suffisantes, on établit des courbes de distribution de la consommation évaluée en calories, en dépense alimentaire, ou autre caractéristique des modèles. La typologie de ces courbes permet de déterminer des « sociétés alimentaires », dont les deux extrêmes sont la société de pauvreté de masse (la population est concentrée sur les bas niveaux de consommation) et la société de consommation de masse (concentration de la population sur les hauts niveaux de consommation). Celle-ci comporte aussi des pauvres, mais en proportion fort différente de celle de la société de pauvreté de masse (*cf.* schéma p. 21).

Les facteurs de différenciation des MAN sont nombreux, mais on peut en répertorier cinq principaux : le volume et la nature des disponibilités alimentaires moyennes par consommateur, la capacité de consommer, les conditions objectives de la consommation, les conditions socioculturelles, les systèmes culinaires. Ces facteurs expliquent aussi le changement alimentaire sur de longues périodes.

Les « disponibilités moyennes par tête » sont les quantités d'aliments et de nutriments exprimées en calories ou en poids par habitant. Elles reflètent la capacité de production et d'échange de la société considérée, notamment la productivité de la terre et du travail agricole. Selon les méthodes de la FAO, ces disponibilités sont en général évaluées au stade de la distribution. Les quantités disponibles ne sont pas égales aux quantités consommées. Les quantités achetées par les ménages donnent lieu à des pertes : conservation, préparation culinaire, restes dans les assiettes, distribution aux animaux de compagnie. Il a été calculé que, dans les pays occidentaux, environ 75 % seulement des calories achetées sont consommées.

La « nature de la consommation » reflète les conditions agro-écologiques et humaines de la production et de l'échange. Ainsi, les pays tempérés ont une consommation de produits « tempérés », mais, avec le développement des échanges, une proportion croissante de produits tropicaux (fruits, matières grasses, thé, café, chocolat) est intégrée à la consommation courante.

Dans l'économie marchande, la « capacité de consommer » dépend du pouvoir d'achat, c'est-à-dire du rapport entre le revenu par habitant et le niveau général des prix alimentaires. Jean Fourastié a su don-

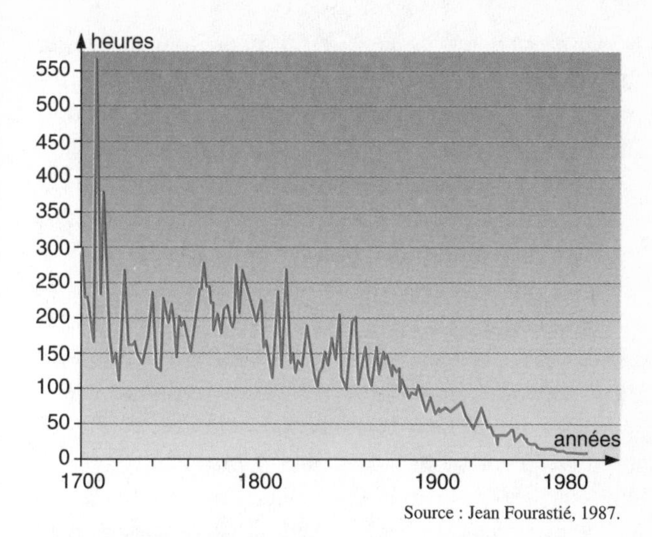

Source : Jean Fourastié, 1987.

Prix réel moyen du quintal de blé en France.
Ce prix, calculé par Jean Fourastié, est égal au prix du quintal divisé par le salaire horaire d'un ouvrier manœuvre. Il exprime donc le nombre d'heures nécessaires pour obtenir ce quintal. Il est indicateur du pouvoir d'achat du salarié. Le graphique montre que dans la période 1700-1820, il se situe entre cent cinquante et deux cent cinquante heures, mais peut atteindre plus de cinq cents heures en période de grande famine, comme ce fut le cas en 1709. Le pouvoir d'achat s'est considérablement élevé, passant de cent trente heures de salaires horaires vers 1850, à environ cinq actuellement. Le passage de la société de pauvreté de masse à celle de consommation de masse est ainsi devenu possible.

ner une expression très significative de ce pouvoir d'achat en calculant le nombre d'heures de travail nécessaires à l'ouvrier manœuvre pour qu'il puisse acheter un quintal de blé. En France, par exemple, ce nombre est passé de cent trente heures au milieu du XIXe siècle à cinq heures environ actuellement (*cf.* schéma p. 25). Ce changement extraordinaire, dû à la croissance de la productivité industrielle (hausse du niveau des salaires) et agricole (baisse des prix alimentaires), et au combat des ouvriers pour le partage des gains de productivité, explique le passage de la société de pauvreté de masse à celle de consommation de masse.

Les « conditions objectives de la consommation » se rapportent à la localisation de la consommation (ville ou campagne), au rythme du travail (influence de la journée continue sur la consommation), au rôle de la femme (répartition du budget-temps entre travail domestique, travail salarié et loisirs), au mode de vie, etc. Pour ne prendre qu'un exemple, le développement des villes et l'extension de leur champ d'approvisionnement mêlent des produits venus de plusieurs régions et modifient considérablement les conditions de la consommation par rapport à celles qui prévalent en milieu rural. La ville est créatrice de nouveaux modèles de consommation et l'urbanisation est un facteur historique fondamental du changement alimentaire.

Les « conditions socioculturelles » de la consommation sont définies par des symboles, des interdits, des habitudes, des idéologies, des hiérarchies alimentaires, etc. La plupart des religions et de nombreuses sociétés prononcent des interdits alimentaires, pour des raisons rituelles, sociales, sexuelles et nutritionnelles. Les lois de l'immangeable et du comestible varient selon les groupes sociaux. Jean Trémolières, voulant donner une définition aussi générale que possible de l'aliment, lui reconnaît trois caractères universels : il est nourrissant (il contient des nutriments), appétant (il excite l'appétit), coutumier (il est accepté par un groupe social donné).

Les conditions socioculturelles se modifient au cours de l'histoire. Il n'existe pas d'habitudes alimentaires à long terme, comme le prouvent les trois grandes révolutions alimentaires : celle du néolithique (transfert d'espèces du Moyen-Orient vers la Méditerranée et l'Europe), celle de la « découverte » de l'Amérique et enfin celle liée à la mondialisation de l'économie alimentaire. Les guerres, les conquêtes, les migrations, les échanges et, de nos jours, le tourisme provoquent des confrontations qui favorisent le changement alimentaire.

Le « système culinaire » est une composante fondamentale des systèmes de consommation. La cuisine permet de passer de l'aliment aux nourritures, combinaisons d'aliments, le plus souvent cuits, liés par un fond de cuisine (beurre, crème, huile, miel), assaisonnés et épicés. Les nourritures sont des combinaisons de saveurs, d'odeurs, de couleurs, caractérisées par des « flaveurs majeurs » (Fischler). Comme les aliments, la cuisine reflète des croyances, des legs historiques, des apprentissages et des « tours de mains ».

De toutes les composantes de la chaîne alimentaire, la cuisine est celle qui exprime le plus fortement la culture d'un peuple, ou d'une catégorie sociale. L'autonomie culinaire est garante des spécificités culturelles des systèmes alimentaires. Ainsi, en Europe, l'analyse statistique montre une tendance à la forma-

Les épices.
Il y a bien longtemps que les épices (poivre, clou de girofle, muscade, cannelle, etc.) parfument les cuisines du monde.
En partant à la recherche d'épices et de richesses, les navigateurs et les naturalistes qui les accompagnaient découvrirent le monde.
Ph. © Éric Chazot / Explorer

tion d'une base agricole commune. Mais sur cette base s'édifient des « savoir-manger » très différents, et la cuisine de chaque pays d'Europe conserve des caractères propres. Toutefois, il faut distinguer consommation du « temps compté* » et consommation du « temps libre* ». La première subit plus fortement la tendance à l'uniformisation que la seconde.

Quelle est la part des choix alimentaires dans la formation des modèles de consommation ? L'homme consomme-t-il toujours ce qu'il préfère ? Il est évident que non. Si le pauvre consomme essentiellement des céréales, c'est parce que son pouvoir d'achat ne lui permet pas de manger davantage de viande. Il s'agit toujours de choix contraints par les disponibilités alimentaires, la capacité d'achat, les conditions objectives de la consommation, les conditions socioculturelles, les traditions culinaires et les apprentissages.

Le goût, sorte de fourre-tout de l'inexpliqué, n'est pas une catégorie universelle, mais une catégorie historique et géographique. Dans la société pestilentielle du Moyen Age, on aimait les aliments et les cuisines aux odeurs fortes et épicées. Alors que le chasseur africain n'apprécie pas les viandes blanches, particulièrement fades, la société industrielle désodorise, aseptise et aromatise.

Le système des choix alimentaires contraints et des goûts fluctuants pose le problème de la gastronomie. Si celle-ci est l'art de savoir manger, elle est donc une catégorie historique. La gastronomie de Babylone n'est pas celle de Rome, et l'une comme l'autre ont peu à voir avec la gastronomie moderne. La société dominante codifie les règles du savoir-vivre et du « savoir-manger », mais le peuple, dans le cadre de l'étendue de ses choix alimentaires, a aussi ses bonnes recettes et sa propre gastronomie.

La haute gastronomie s'approprie d'ailleurs les bonnes recettes paysannes, les aménage et les fait siennes. C'est que, pour tous les hommes, l'alimentation répond à la fois à la nécessité et au plaisir. La nécessité et la fête sont les moteurs de l'histoire alimentaire.

Théorie des avantages relatifs

Dans le domaine alimentaire, l'homme s'est toujours posé les mêmes questions. Que vais-je manger ? Comment obtenir ma nourriture ? Comment conserver mes aliments ? Comment les préparer ? La réponse à ces questions fait l'histoire et la géographie alimentaire.

L'humanité proprement dite commence il y a environ trois millions d'années. Depuis, l'homme a dû sans cesse adapter et réadapter son système alimentaire aux conditions physiques et sociales du moment. Le climat, d'abord chaud et humide, s'est refroidi, et la Terre a connu quatre grandes glaciations successives. Puis, vers 12000 av. J.-C., le climat s'est réchauffé ; il est devenu propice à l'agriculture. Les conditions de vie se sont alors modifiées. Les hommes se sont multipliés et ont commencé à peupler la Terre. Du point de vue alimentaire, la population a été la variable stratégique du changement, déterminant à la fois le volume des besoins et l'essentiel des forces productives. Les sociétés se structurent et se restructurent, modifiant ainsi les conditions sociales d'obtention des aliments.

Comment l'homme adapte-t-il et réadapte-t-il son système alimentaire à un monde qui ne cesse de changer ? Il semble que la théorie des avantages relatifs fournisse l'approche la plus générale en tenant compte aussi bien de la nécessité que du plaisir.

Cette théorie est applicable dès que l'homme est en mesure de comparer deux objets, deux façons de faire, deux situations, et d'en estimer précisément les avantages relatifs*. Les choix s'opèrent par une « pesée d'avantages ». Dans les sociétés anciennes, cette pesée fut sans doute entachée de croyances et de superstitions multiples, qui enlevaient parfois tout caractère rationnel à la comparaison. Mais, au cours de l'histoire, l'homme a introduit des procédés plus rationnels pour évaluer les avantages.

L'invention de la monnaie et le développement du marché l'y ont aidé, tout en réduisant l'estimation des avantages relatifs à une simple pesée marchande. Ricardo, dans sa célèbre théorie du commerce international, a introduit les coûts relatifs comme base de comparaison des avantages. Le capitalisme a généralisé le calcul des avantages mesurés par le profit. Les agronomes du XIXe siècle ont mis en pratique la méthode des avantages relatifs sur des champs agricoles de démonstration et ont ainsi démontré aux paysans la supériorité des nouvelles techniques.

Mais les choix s'opèrent toujours au sein de systèmes de contraintes : contraintes physiques (le potentiel agronomique détermine les espèces cultivables et élevables) ou humaines (les disponibilités monétaires déterminent la capacité de consommer ou de produire).

La méthode dite de programmation linéaire est particulièrement adaptée à un système de décision contrainte. Elle consiste à borner le champ du possible par un système d'inégalités et à optimiser à l'intérieur de ce champ une « fonction d'objectif ». Par exemple, on peut minimiser le coût alimentaire (fonction d'objectif) en combinant divers aliments, sous réserve de respecter les contraintes nutritionnelles (valeur énergétique de la ration, proportion de nutriments, etc.). De tels calculs sont courants dans le domaine de l'alimentation animale. Il serait certes plus difficile d'écrire une fonction d'objectif qui maximiserait les plaisirs de l'homme.

La programmation linéaire est actuellement utilisée pour « optimiser » les systèmes de production. Cette méthode permet de comprendre que le progrès réside à la fois dans l'amélioration des pesées d'avantages relatifs, qui guident les comportements, et dans le recul des « bornes » du système de contrainte, qui limite l'homme dans ses choix.

Ainsi, mû par la recherche d'avantages relatifs (individuels et collectifs), dans un contexte historique et géographique donné, l'homme adapte ses systèmes alimentaires en fonction des contraintes et de son développement culturel. Les conditions d'adaptation ont donné lieu à des systèmes qui ont marqué et défini de longues périodes historiques. En Occident, les trois grandes périodes sont les périodes pré-agricole, agricole et agro-industrielle.

Celles-ci se succèdent selon des rythmes et des modalités qui procèdent d'un système de « questions-réponses enchaînées », c'est-à-dire d'un système dialectique. A un moment donné, les conditions ayant déterminé un certain type de système alimentaire se modifient et l'homme s'interroge alors sur les modalités d'adaptation à mettre en place : il répond par des pesées d'avantages. De nouvelles conditions posent de nouvelles questions. On peut ainsi déceler un mouvement de la pensée qui, dans la pratique, va des faits aux idées et des idées aux faits. Ainsi se développe une rationalité pratique, fondée sur l'observation des faits, différente de la rationalité scientifique, fondée, elle, sur l'explication des faits. Le développement culturel résulte ainsi d'une dialectique des faits et des idées, et il est vraisemblable que les questions alimentaires aient été le fer de lance de ce développement au début de l'humanité.

Un système alimentaire s'évalue globalement par ses résultats, c'est-à-dire par les satisfactions quantitatives et qualitatives qu'il procure. La théorie des avantages relatifs permet l'évaluation des systèmes possibles dans un contexte physique et humain déterminé, afin de choisir le système le mieux adapté au contexte considéré.

La satisfaction quantitative provoque le sentiment de satiété, de «ventre plein». La quantité de calories et de nutriments qu'il est nécessaire d'ingérer pour atteindre cette satisfaction dépend des besoins de l'homme et de sa conduite alimentaire (petits et gros mangeurs). Ceux-ci sont fonction du poids, de l'âge, de l'activité, de la santé, etc. Les besoins moyens par habitant, dans une société donnée, relèvent donc de la structure socio-économique de cette société. Ils sont variables dans l'espace et le temps, et sont calculés par les nutritionnistes. Par exemple, en Europe, la ration quotidienne moyenne conseillée serait actuellement de l'ordre de 2500 calories, comportant 55 % de glucides, 15 % de protéines et 30 % de lipides.

L'adaptation quantitative d'un système s'apprécie par sa capacité à produire une alimentation satisfaisante en un lieu et à un moment donné. La comparaison entre besoins et production permet de définir des situations d'équilibre, de surconsommation ou de sous-consommation. A long terme, la satiété alimentaire dépend essentiellement de l'issue de la course entre population et production. L'histoire est jalonnée de disettes et de famines, et ce n'est qu'au XXe siècle que l'Europe est parvenue à la satiété quantitative du plus grand nombre (société de consommation de masse). Mais de nombreux pays connaissent encore de graves crises de subsistance.

La satisfaction qualitative est une notion beaucoup plus complexe, liée aux niveaux d'aspiration et d'attente des populations, dans un contexte socio-économique donné. Si la saturation énergétique peut faire l'objet de mesures, il n'en va pas de même de la satisfaction qualitative, qui est une catégorie culturelle, historique et géographique aux formes multiples et renouvelables.

Les trois âges alimentaires

Dans la zone méditerranéo-européenne, on distingue trois grandes périodes alimentaires si différenciées que nous assumons l'audace de les qualifier d'« âges alimentaires » : l'âge pré-agricole, agricole et agro-industriel. Si l'âge pré-agricole et l'âge agricole sont universels, de nombreux pays du monde n'ont pas atteint l'âge agro-industriel.

L'âge pré-agricole – celui de la cueillette, de la chasse et de la pêche – est fondamentalement caractérisé par des prélèvements sur les écosystèmes naturels, par l'aliment sauvage*. Il commence avec le début de l'humanité, il y a environ trois millions d'années, et se poursuit jusqu'au début de l'agriculture, qui se situe environ dix mille ans avant notre ère. En Europe toutefois, où l'homme apparaît plus tardivement, vers 500000 av. J.-C., cette période est plus courte.

L'âge agricole est celui où l'activité agricole est la base de l'alimentation : la quasi-totalité de la population est constituée de paysans (environ 80 % de la population totale). Cette période commence en Europe environ cinq mille ans avant notre ère et se poursuit jusqu'à la fin du XVIIIe siècle – parfois au-delà. Elle est caractérisée par la création d'agro-systèmes* et par la production d'aliments agricoles.

La période agro-industrielle est marquée par la participation croissante de l'industrie à l'activité agricole. L'agriculture joue toujours un rôle irremplaçable, mais, sur cette base, se constitue une superstructure industrielle et commerciale dont la part finit par représenter beaucoup plus que l'agriculture dans la dépense alimentaire des consommateurs. Cette agro-industrie s'est formée après la révolution industrielle du XVIIIe siècle, s'est développée au XIXe, et s'est affirmée dans la seconde moitié du XXe. Au cours de cette période, le nombre d'agriculteurs a rapidement diminué en raison de la substitution du capital industriel au travail agricole, et la productivité du travail agricole a crû de façon considérable.

Chacune des deux révolutions, agricole et industrielle, fut à la fois technique, culturelle et sociale. Le terme «révolution» se rapporte aux moments où de nouvelles formes d'adaptation ont triomphé; mais elles sont souvent précédées et suivies d'une longue période de transition. La première révolution s'est produite entre mille et dix mille ans avant notre ère, en plusieurs points du globe. La seconde a d'abord eu lieu en Angleterre au XVIIIe siècle, puis s'est étendue vers le reste de l'Europe et l'Amérique. Elle est de nos jours inachevée.

Carlo Maria Cipolla a écrit : «La première révolution transforma les chasseurs et les cueilleurs de plantes en cultivateurs et en bergers. La seconde transforma les cultivateurs et les bergers en surveillants d'esclaves mécaniques, machines alimentées par une énergie inanimée. » Ainsi, les trois âges alimentaires sont encadrés par les deux grandes révolutions historiques. Cela n'est pas surprenant, car l'alimentaire fait l'histoire générale – ou en procède.

Comme nous pouvons le constater, ces périodes sont de durée très inégale : si l'homme apparaissait un 1er janvier, l'agriculture ne surviendrait que dans la seconde quinzaine de décembre et l'agro-industrie le 31 décembre, tard dans la soirée. Bien qu'elles soient marquées par des traits spécifiques qui les qualifient, d'importants changements se produisent au cours de chacune d'elle. On peut alors diviser les trois âges alimentaires en périodes, définies par les rapports sociaux entre les partenaires des processus de production, car, loin d'être seulement une histoire technique, l'histoire de l'alimentation est aussi une histoire sociale.

Il est malheureusement impossible de décrire chacune de ces périodes et sous-périodes dans le cadre de cet ouvrage. Nous nous contenterons donc de rappeler ici quelques faits marquants susceptibles de nourrir la réflexion et de contribuer à une compréhension générale des phénomènes alimentaires.

L'âge pré-agricole et la naissance de l'agriculture

Nous connaissons l'âge pré-agricole grâce aux travaux des ethnologues et des archéologues. Ils nous ont beaucoup appris, mais des incertitudes demeurent, et une découverte peut encore modifier les flux de l'histoire. Les premiers hommes furent cueilleurs ou chasseurs selon leur environnement : ils se bornaient pour l'essentiel à prélever leurs aliments sur les écosystèmes naturels. Cependant les spécialistes pensent qu'ils pratiquaient surtout la chasse. Ils furent d'abord chasseurs de « menues espèces », faciles à capturer (insectes, chenilles, lézards), puis charognards et enfin chasseurs de grandes espèces. Certaines populations s'adonnèrent tôt à une chasse « prévoyante », protégeant les jeunes et les femelles enceintes.

Mais les premiers hommes furent aussi de remarquables cueilleurs. Selon Maurizio, auteur d'une *Histoire de l'alimentation végétale*, la prospection du règne végétal par les peuples primitifs a été si remarquable que « depuis les débuts de l'histoire écrite, pas une seule plante d'utilité générale n'a été ajoutée à celles qui étaient connues antérieurement, tant avait été attentive et complète l'exploitation à laquelle les peuples primitifs avaient soumis le monde végétal ». Harlan, se référant aux travaux des ethnologues, souligne l'extraordinaire diversité des plantes ramassées par les populations actuelles qui en sont restées au stade pré-agricole. Les populations primitives ont été des botanistes de l'utilitaire.

Connaître les plantes utiles ne suffit pas ; il faut aussi connaître le lieu et le moment de leur disponibilité, à moins que la faible densité de population et l'abondance naturelle permettent de se nourrir au hasard des chemins ; il faut également savoir distinguer la partie consommable de la plante et, le cas échéant, éliminer sa toxicité. Partout, les hommes ont dû se constituer des « complexes nutritionnels » susceptibles de leur procurer, selon leurs besoins, une alimentation équilibrée et suffisante.

Ces complexes dépendent des disponibilités animales et végétales. Ils mêlent les produits de la chasse et ceux de la cueillette, et la diversité assure au mieux l'équilibre alimentaire. Les interdits, dans la ligne des fruits défendus, réduisent le champ alimentaire réel par rapport au champ nutritionnel potentiel.

Le changement de climat et le peuplement de la Terre par l'homme, qui migre d'Afrique vers l'Eurasie, ont périodiquement obligé à reconstituer et à réadapter les complexes vivriers*, sur la base de nouveaux avantages relatifs – à moins que les migrations d'animaux aient provoqué celles des humains, l'homme ayant alors suivi « sa nourriture ».

L'événement majeur de l'âge pré-agricole comme de l'histoire alimentaire fut la maîtrise du feu, car elle a déterminé le passage de l'aliment cru à l'aliment cuit. De bien des façons, le feu a été un facteur de développement culturel, ne serait-ce qu'en raison des questions que l'homme s'est posé à son sujet : que faut-il cuire et comment ? avec quels récipients ? L'homme utilisa la chaleur sèche pour fumer, griller et rôtir, et la chaleur humide pour bouillir. La cuisson à la chaleur humide n'alla pas sans difficultés, d'où le rôle fondamental de la poterie. Cuire, c'est aussi mélanger des aliments, créer des goûts qui ne sont pas dans la nature : c'est cuisiner. Très tôt sans doute, l'homme a su faire des soupes, des bouillies et des galettes. Il est intéressant de remarquer, comme l'a souligné Jacques Barrau, que les mots «potages», «potées» et «pot-au-feu» rappellent celui de poterie! Ainsi, la «révolution culinaire» a largement précédé la révolution agricole.

Lévi-Strauss évoque sous l'expression de «triangle culinaire» les trois formes fondamentales de consommation alimentaire : le cru, le cuit, le fermenté. Le cru est un aliment naturel, le cuit introduit l'aliment culturel. Quand commence la cuisine proprement dite? Bien que les archéologues fassent remonter l'usage du feu à plus d'un million d'années, il est probable que le feu «domestiqué et culinaire» soit plus récent. L'*Homo sapiens sapiens* avait sans doute atteint un stade culturel dont la cuisine fut une composante.

«C'est en courant derrière sa nourriture que l'humanité a inventé le monde, fabriqué ses armes et ses outils, organisé la société», a écrit Maguelonne Toussaint-Samat. A l'âge pré-agricole et au-delà, l'alimentaire peut être considéré comme le moteur de l'histoire et du développement culturel et social de l'homme. En faisant, l'homme s'est construit biologiquement (station debout, croissance de la capacité crânienne), culturellement et socialement. La chasse au gros gibier a socialisé l'acquisition; la cuisson, elle, a socialisé la consommation. Le «foyer» est devenu le centre de la vie – l'unité socio-économique de base –, et le «nombre de feux» le signe de l'importance de la population. «C'est cuit» sera le cri de ralliement au sein des unités de consommation, jusqu'à ce que l'agro-industrie fabrique des aliments «prêts à consommer». Au terme de l'âge pré-agricole, l'homme a beaucoup changé : il a développé sa connaissance de la nature, déterminé les espèces utiles et leurs disponibilités, perfectionné ses instruments, ses méthodes d'acquisition et ses aptitudes à tuer. Il a maîtrisé le feu, inventé la cuisine et la poterie, et s'est socialement structuré sur la base des conditions matérielles d'obtention de sa nourriture. Il s'est alors mis a dessiner, peindre et sculpter.

Avec une faible densité de population et une nature fertile, l'âge de pierre a pu être une période d'abondance. De telles hypothèses viennent renforcer les croyances au «paradis perdu», si présentes dans l'histoire. Mais l'économie naturelle est fortement aléatoire, et les paradis perdus vont sans doute de pair avec des enfers oubliés.

Les ethnologues ont montré que la cueillette et la chasse laissaient beaucoup de temps libre pour les jeux, les baignades, les fêtes, la danse et les arts. Mais les aléas de l'économie naturelle pouvaient aussi créer des situations de rareté et nécessiter de gros efforts de la part de l'homme pour subsister. Ces observations sur le genre de vie pré-agricole conduisent à s'interroger sur la notion de progrès. Pourquoi être passé au stade de l'agriculture, plus contraignante que la cueillette et moins valorisante que la chasse?

L'âge agricole

A l'âge agricole, l'homme, jusqu'alors prédateur, devient producteur. Il sélectionne les espèces utiles, choisies en raison de leur aptitude à la domestication et de leurs avantages relatifs, et substitue des écosystèmes artificiels aux écosystèmes naturels. Ce faisant, il substitue l'aliment agricole* à l'aliment sauvage. La naissance de l'agriculture marque le début de l'artificialisation, aussi bien de notre alimentation que du milieu sur une grande échelle.

Traditionnellement, on pense que l'homme fut d'abord un chasseur, puis un éleveur, enfin un cultivateur. Cette théorie ne résiste guère à l'analyse : l'agriculture est le produit des rapports entre sociétés et milieux naturels, et de la diversité des situations résulte celle des chronologies. Selon son environnement, l'homme fut d'abord cueilleur ou chasseur, puis agriculteur ou éleveur. Les thèses sur l'origine de l'agriculture peuvent être classées en trois grandes catégories : religieuses, culturelles, économiques.

Les mythologies ont souvent considéré l'agriculture comme une décision et un don des dieux. Ceux-ci sont à l'origine de la vie et décident des bonnes ou mauvaises récoltes. Dans la Genèse, l'agriculture est une malédiction... L'Éternel dit à l'homme : « le sol sera maudit à cause de toi. C'est à force de peine que tu en tireras la nourriture tous les jours de ta vie ; il te produira des épines et des ronces et tu mangeras l'herbe des champs. C'est à la sueur de ton visage que tu mangeras du pain, jusqu'à ce que tu retournes dans la terre d'où tu as été pris ». Maudit parmi les maudits fut le paysan, car c'est à la sueur de son front que l'humanité entière mangera du pain !

Les thèses culturelles considèrent l'agriculture comme l'invention d'un nouveau système alimentaire à un certain stade du développement culturel de l'homme. Les rapports entre l'homme et la nature entretenus au cours de l'âge pré-agricole lui ont permis d'acquérir une grande connaissance des espèces, de comprendre leurs mécanismes de reproduction, d'observer que la plante naît de la graine et que travailler le sol facilite la germination. Il est probable que les principes de l'agriculture aient été connus de la plupart des sociétés pré-agricoles ; l'invention de l'agriculture serait donc très ancienne, mais sa pratique est beaucoup plus récente.

Les thèses économiques font de l'agriculture une nécessité. On est en effet en droit de se demander pourquoi l'homme, connaissant l'agriculture, ne l'a pratiquée que de façon occasionnelle et limitée (protoagriculture) : tout simplement « parce qu'il n'avait pas avantage à le faire », a répondu un cueilleur bochiman à l'ethnologue Richard Lee.

Dans la mesure où les sociétés pré-agricoles pouvaient vivre dans une relative abondance, grâce à la cueillette et à la chasse, elles n'avaient nul besoin de substituer à un mode d'approvisionnement alimentaire relativement peu coûteux en temps et en travail, et valorisant comme la chasse, un système aussi pénible et aussi contraignant que l'agriculture. Longtemps pris pour un progrès, le passage à l'élevage et à l'agriculture fut ensuite considéré comme étant le produit de la nécessité : accroître les disponibilités face à la croissance de la population. Le réchauffement du climat et le développement culturel de l'homme ont rendu possible l'agriculture devenue nécessaire avec la croissance de la population.

L'agriculture constitue une rupture fondamentale dans le développement culturel de l'homme. Si cueillette et chasse permettent une acquisition immédiate de l'aliment disponible, l'agriculture implique un produit différé. Elle nécessite un investissement de graines, de travail, le contrôle de l'espace productif, et la sédentarisation (au moins le temps nécessaire aux récoltes). L'homme accepte de risquer les richesses acquises et fait le pari, basé sur l'expérience, qu'il recevra plus qu'il n'a avancé. Il parie, car l'agriculture est un processus aléatoire, soumis aux vicissitudes du climat et à la concurrence avec les espèces sauvages. Les Égyptiens imaginaient un paradis sans sauterelles, sans grêle, sans épidémie et sans famine. Les mentalités de l'agriculteur sont bien différentes de celles du cueilleur ou du chasseur. Le passage à l'agriculture introduit de nouvelles questions dans le système des « questions-réponses » décrit plus haut ; il contribue ainsi au développement culturel de l'homme, et instaure de nouvelles pesées d'avantages relatifs.

Depuis douze mille ans, l'agriculture se développe dans le monde. Les travaux des ethno-botanistes et des ethno-zoologistes, et plus particulièrement ceux de Harlan, permettent de définir trois grands centres d'agriculture et d'élevage anciens : le Proche-Orient, la Méso-Amérique et la Chine septentrionale. Le Proche-Orient est le centre d'origine de l'agriculture méditerranéo-européenne : la domestication des animaux, la culture du blé et de l'orge, la sédentarisation de la population se manifestent dans cette zone dès 9000 ou 8000 av. J.-C. Cette zone comprend un foyer central, le Croissant fertile, situé entre l'Euphrate et le Tigre, mais elle s'étend bien au-delà. Les espèces domestiquées dans cette région furent très largement diffusées : à l'ouest dans toute l'Europe, à l'est jusqu'en Inde, et au sud sur les plateaux éthiopiens.

Nous appelons fondatrices de l'agriculture méditerranéo-européenne les espèces domestiquées au Moyen-Orient et diffusées dans la zone méditerranéo-européenne. On dénombre cinq espèces animales fondatrices (chien, porc, chèvre, mouton, bœuf) et sept espèces végétales principales (blé, orge, pois, pois chiche, lentille, vesce et lin). Les céréales, qui vont représenter la ressource alimentaire majeure, ne poussaient pas spontanément en Europe. On peut suivre et dater le développement de l'agriculture d'est en ouest ; du Proche-Orient elle gagne très tôt la Grèce, puis l'Europe centrale par le courant méditerranéen et danubien entre 5000 et 4000 av. J.-C., et enfin l'Europe de l'Ouest entre 4000 et 2800 av. J.-C.

La domestication des espèces constitue le phénomène central de ce qu'il est convenu d'appeler la « révolution agricole ». Il en résulte un bouleversement du système alimentaire. L'avènement de l'âge agricole s'accompagne de changements concomitants, tels la substitution des outils de production aux outils d'acquisition, la sédentarisation et la construction de villages agraires, l'usage croissant de la céramique. D'autres changements s'effectuent de manière plus autonome, tels que la formation et le développement des villes, dont l'influence est grande sur l'agriculture.

Les changements des bases matérielles de la production s'accompagnent de profondes transformations culturelles et sociales. L'ensemble de ces changements caractérisent la formation puis le développement de la civilisation dite néolithique. La « néolithisation » est le processus d'extension de la civilisation néolithique à d'autres zones du monde, notamment à la zone méditerranéo-européenne.

L'âge agricole, qui en Europe s'étend du néolithique à la fin du XVIIIe siècle, n'est pas une période homogène, loin s'en faut, et on ne saurait décrire les périodes qui le composent en quelques lignes. Mais la période agricole, au cours de laquelle l'activité agricole constitue la base de l'alimentation et la principale source des richesses, possède des traits caractéristiques, qui permettent de la différencier et de la qualifier sans ambiguïté. Elle s'organise autour d'unités socio-économiques de base, dites « unités domestiques ». Celles-ci sont le lieu où s'intègrent consommation et production (prédominance des unités d'autosubsistance), où s'ordonne l'usage des plantes et animaux domestiqués, où s'organise l'exploitation d'un espace délimité. Ces unités s'insèrent dans des systèmes socio-économiques dont la différenciation permet de définir les sous-périodes historiques.

L'agriculture progresse par défrichements et ensemencements. D'abord « agriculture de clairière », elle s'étend au cours des siècles afin de répondre à la croissance démographique. En Europe, la plus forte extension se produit au Moyen Age, dans la période des « grands défrichements » (Xe-XIIIe siècles), où se marquent pour longtemps les limites de l'espace cultivé. Défrichant puis aménageant les espaces productifs, les paysans font et refont les paysages de l'histoire.

Le système de production qui domine la période agricole est appelé agro-pastoral. Il est caractérisé par la séparation de l'agriculture et de l'élevage. Les animaux pâturent les terres vaines et vagues. L'homme ne sait pas, ou ne peut pas, en raison de la séparation de l'agriculture et de l'élevage, reconstituer la fertilité des terres épuisées autrement qu'en les laissant en jachère. Il pratique l'itinérance, le nomadisme et l'essaimage, et, lorsqu'il se fixe, il a recours à la jachère et à la rotation des cultures.

Faute de matière organique, de bonnes semences, faute aussi de savoir lutter contre des conditions naturelles défavorables, toute la période agricole fut celle des rendements faibles et fluctuants. L'agriculture irriguée des cités mésopotamiennes, ou celle que l'on pratiquait sur les bords du Nil après la décrue du fleuve, fut cependant très tôt une agriculture intensive, facilitant un développement urbain précoce.

L'extension de l'agriculture et les travaux des champs furent facilités par le développement des forces productives. Selon Maurizio, « l'agriculture à la houe de plantes à bouillies » caractérise les débuts de l'agriculture. Mais l'homme perfectionne ses instruments de production, notamment à l'âge du fer, utilise l'araire (IIe millénaire) puis la charrue, ainsi que la force animale pour tracter araires et chariots. Le développement de l'agriculture attelée, et sa substitution progressive à l'agriculture manuelle, constitue l'aspect le plus important du développement des forces productives pendant toute la période agricole. L'homme domestique aussi l'énergie naturelle. L'usage du moulin à eau (IVe siècle) et à vent (XIIe siècle) facilite la mouture des céréales.

Pendant la période agricole, la ville connaît croissances et déclins, mais la population urbaine ne dépasse jamais 20 % de la population totale. La ville est le lieu de la division du travail entre les activités agricoles et les autres. Elle ne peut se développer que si la productivité du travail agricole est telle que la population agricole active puisse nourrir la population urbaine. En faisant l'hypothèse que 50 % de la population agricole totale est active et que la population agricole représente 80 % de la population totale, on calcule que le nombre de personnes à nourrir par actif est de 2,5. Si la consommation journalière est de 0,7 EC par personne, la productivité du travail par actif sur une année doit être de : 2,5 × 0,7 × 365, soit moins de sept quintaux. Il s'agit d'une très faible productivité du travail, comparée à celle de la période agro-industrielle, qui peut atteindre jusqu'à cinq cent cinquante quintaux, environ quatre-vingts fois plus ! Pourtant, l'approvisionnement urbain fut un problème difficile et préoccupant pour le pouvoir, car la production agricole était faible et aléatoire.

D'abord mixte, fondé sur l'acquisition et la production, le modèle de consommation alimentaire devint de plus en plus agricole, par réduction de la part des produits de cueillette et de chasse. Les espèces végétales domestiquées sont pour l'essentiel les espèces fondatrices de l'agriculture européenne. Du néolithique au XVe siècle, elles se sont enrichies de quelques espèces nouvelles – seigle, millet, sarrasin, riz. De plus, la culture de la vigne et celle des arbres fruitiers connaissent un grand développement. La production de légumes est aussi importante, et le jardin contribue à la diversification alimentaire. La domestication animale développe un usage croissant du lait et des produits laitiers, et la basse-cour, comme le jardin, devient un lieu de diversification de la production et donc de la consommation.

Ainsi le modèle de consommation alimentaire de la zone méditerranéo-européenne, issu de la révolution agricole du néolithique, s'affirme, avec des nuances entre le Nord et le Sud. Les espèces domestiquées au néolithique ont constitué la base alimentaire* de cette zone pendant cinq mille ans environ.

Mais, au XVe siècle, la « découverte de l'Amérique » jette les bases de la deuxième révolution alimentaire, de grande ampleur sur le plan géographique, et prépare la troisième, celle du XIXe siècle, liée au début de la mondialisation de l'économie alimentaire. La découverte de l'Amérique entraîne le développement du commerce triangulaire (Europe-Afrique-Amérique-Europe), la formation de la première « économie monde » (définie par Fernand Braudel) d'initiative européenne, et bouleverse la géographie alimentaire.

Les plantes aptes à être acclimatées en Europe le sont (maïs, tomate, pomme de terre, etc.). L'agriculture de plantation se développe en Amérique (canne à sucre, caféier, cacaoyer, etc.) puis dans d'autres zones du monde. Le voyage des plantes venues d'Amérique et d'ailleurs fut une aventure – encore inachevée, comme le prouve l'extension récente du maïs en Europe. Elle a suscité la création de jardins botaniques et d'acclimatation, et l'amélioration des plantes a permis de varier leur aire de culture.

Au total, l'Amérique est probablement la grande bénéficiaire des transferts : elle reçoit de nombreuses espèces végétales qui enrichissent sa base agricole (blé, bananier, agrumes, canne à sucre, caféier). Ces transferts de végétaux s'accompagnent de ceux d'espèces animales. De nouveau l'Amérique bénéficie de nombreuses espèces, inconnues ou disparues du continent américain, telles que moutons, bœufs, chevaux et volailles diverses. L'Europe, en revanche, n'a reçu d'Amérique qu'une seule espèce animale : le dindon.

Les transferts d'espèces consécutifs à la découverte de l'Amérique sont aussi impressionnants que ceux du néolithique. Ils montrent l'influence des grands événements de l'histoire sur les changements alimentaires (les croisades, la découverte du Nouveau Continent, les empires coloniaux).

Après la « découverte », la base agricole européenne se modifie considérablement, ainsi que les modèles de consommation alimentaire... mais non sans peine. Il aura fallu, dit-on, que le roi mette une fleur de pomme de terre à sa boutonnière, et tous les subterfuges de Parmentier, pour que la pomme de terre soit enfin adoptée. En réalité, il aura fallu le temps nécessaire pour que les producteurs et les consommateurs reconnaissent les avantages relatifs des plantes nouvelles.

Finalement, un nouveau système de consommation se constitue, que nous pourrions appeler « méditerranéo-européano-américain », dans lequel l'Europe consomme essentiellement des aliments venus d'ailleurs.

La diversification alimentaire ne se réalise pas seulement par le changement de la base agricole, mais aussi par le développement de l'échange – bien que l'histoire ne se résume pas à une croissance de l'échange. Le monde antique a connu un échange interterritorial important, et la population d'Athènes (et plus encore celle de Rome) fut partiellement nourrie par des importations venant des pays bordant la Méditerranée et au-delà.

Après la chute de l'Empire romain, le déclin des villes et du commerce, les invasions, l'insécurité croissante et l'affirmation du système féodal ont conduit à la mise en place d'une économie fermée. Cependant, la formation de l'« économie monde européenne », au XVIe siècle, a donné un nouvel élan au commerce alimentaire. Le commerce extérieur demeura toutefois réduit, en raison des coûts et des difficultés du transport des denrées périssables sur de longues distances. Il fut d'abord un commerce de luxe, portant sur les épices, le sucre, le café, le cacao, le tabac, etc. Ce n'est qu'au XIXe siècle, après la révolution des transports, que le commerce agricole des produits de base prit de l'ampleur, et que la troisième grande révolution alimentaire put s'effectuer.

Le changement alimentaire, par diversification agricole et élargissement des échanges, invite à s'interroger sur la signification et la portée des habitudes alimentaires, auxquelles beaucoup d'écrits attachent tant d'importance. Dans l'histoire, il n'y a pas d'habitude alimentaire, mais plutôt des habitudes de production. Certes, le changement demande du temps, mais il finit toujours par avoir lieu lorsque les avantages relatifs sont établis.

Les transformations de la base alimentaire et le développement de l'échange n'affectent pas de la même façon les différentes catégories sociales. L'augmentation généralisée du pouvoir d'achat distribue les possibilités d'accès aux aliments en fonction des prix relatifs. Selon Marc Bloch, toute la période agricole est caractérisée par une alimentation de classe. Soupes, bouillies et galettes sont les premières formes culinaires de l'alimentation, mais la soupe est populaire et le potage est aristocratique. Le pain souvent noir et dur est populaire. Le pain blanc et tendre et, *a fortiori*, la brioche, sont aristocratiques. Le régime alimentaire de classe se différencie aussi par la consommation ou non des produits de l'élevage qui, étant eux-mêmes gros consommateurs de ressources alimentaires, sont chers et inaccessibles aux pauvres. Ce n'est qu'après les grandes catastrophes humaines, une épidémie de peste par exemple, lorsque le bétail par habitant est devenu abondant, que les pauvres ont pu manger de la viande.

Les plantes de la « découverte », telles que la pomme de terre et le maïs, aux calories bon marché, furent d'abord consommées par les pauvres. Le café et le chocolat furent longtemps des produits de luxe, dont la consommation ne se démocratisa que lentement, avec la hausse du pouvoir d'achat du peuple. Toute la période agricole est caractérisée par la société de pauvreté de masse et par la persistance des disettes et des famines, qui marquent l'histoire occidentale. Jamais l'âge agricole ne se libéra de la faim. Les famines, associées aux épidémies et aux guerres, tels les trois chevaliers de l'Apocalypse, chevauchèrent de compagnie.

Pour des raisons historiques, mais aussi parce que certains pays connaissent encore des situations similaires, il est important de s'attarder sur la recherche des causes de la sous-consommation persistante et des crises de subsistance.

La guerre, destructrice de récoltes et de stocks, est une cause encore très actuelle, mais conjoncturelle, de la famine. Il en va de même des fluctuations de récoltes dues aux conditions naturelles. La faiblesse de la productivité de la terre et celle du travail agricole, ainsi que celle du pouvoir d'achat, sont des causes plus permanentes de la sous-consommation alimentaire et expliquent les famines structurelles. On peut construire un modèle simple d'équilibre alimentaire, qui permet de considérer les principales variables de celui-ci (*cf.* Annexes p. 109). Lorsque les surfaces cultivées sont à peu près équivalentes aux surfaces cultivables, ce qui est le cas à la fin du Moyen Age en Europe de l'Ouest, la productivité de la terre devient la variable fondamentale d'ajustement à la croissance de la population. Or, depuis la fin du Moyen Age, on constate que les rendements stagnent.

En effet, les sciences agronomiques progressent peu et sont d'ailleurs peu encouragées et peu applicables par des paysans ni formés ni informés. L'agronomie n'est admise à l'université que bien après le droit et la médecine... quand elle y est admise. L'aristocratie de la période agricole s'intéresse plus à la chasse et à la guerre qu'à l'agriculture. Enfin, le statut social des paysans est peu propice à l'innovation et motive peu la production.

Au cours de l'histoire, des systèmes sociaux se sont construits sur la base agricole ; ils se caractérisent par des rapports de production qui définissent des modes d'organisation communautaires, esclavagistes ou serviles. Sommairement, ces modes sont liés aux grandes périodes de l'histoire de l'âge agricole : premières communautés agraires, Antiquité, féodalité, Temps modernes (période de déclin du féodalisme, de montée de la bourgeoisie, de formation de la première « économie monde européenne »).

Les achéologues et les préhistoriens s'accordent pour affirmer le caractère relativement égalitaire et autonome des premières communautés agraires. Cette égalité se lit par exemple dans les tombeaux et dans les restes des villages agraires, aux constructions homogènes. Or, l'autonomie des paysans et leur relative égalité furent rapidement détruites, et ils tombèrent en servitude. La raison de ce changement fut l'accaparement de la terre par les puissants, les riches et les habiles. Avec le travail, la terre constitue le facteur fondamental de la production à l'âge agricole. Les habiles comprirent très tôt que posséder la terre, c'était « tenir » les paysans. La terre fut la base de la hiérarchisation sociale de l'âge agricole.

De nombreux paramètres interviennent dans le processus de dépossession des paysans de leur terre : les guerres et les conquêtes, les dons aux dieux et donc aux temples, les ségrégations à l'intérieur des sociétés agraires, et notamment des sociétés pastorales ou guerrières, les impôts et taxes, les ventes de terre par les paysans endettés, le don des terres aux seigneurs par les paysans pour obtenir leur protection en périodes troublées. Il résulte donc, pour cette période agricole, qu'une minorité de maîtres, nobles, laïques ou hommes d'Église, marchands enrichis – probablement moins de 5 % de la population totale –, gouverne une masse de paysans pauvres et socialement dominés. Certes, la paysannerie fut toujours hétérogène, faite de paysans libres, d'esclaves, de serfs, de gros et de petits, en proportions variables selon les périodes, mais la part des paysans asservis a été le plus souvent majoritaire. Or, les sociétés de domination ne se sont jamais montrées favorables au progrès.

Les sociétés agraires de pauvreté de masse, celles de l'Antiquité comme celles du Moyen Age, ont pourtant connu l'édification de palais somptueux, de cathédrales, de civilisations « brillantes ». La société dominante a souvent préféré investir dans des palais, des temples, des jardins et des tombeaux, qui servent son prestige, plutôt que dans l'agriculture. Les paysans, devaient supporter de lourdes charges et ne pouvaient investir comme il aurait été souhaitable.

Pour expliquer la stagnation de l'agriculture, on invoque aussi la routine paysanne : certes, il ne faut pas la négliger, mais en faire une explication quasi exclusive conduirait à occulter l'histoire. Qu'a fait la société traditionnelle pour former et informer les paysans ? N'aurait-il pas été socialement dangereux de les instruire ? L'affaire est claire : le statut social du paysan est explicatif de l'histoire de l'agriculture et de l'alimentation. L'histoire de l'alimentation est une histoire sociale.

Les théories du sous-développement et du développement, si en vogue dans l'après-guerre, permettent d'affirmer que la société agraire du Roi-Soleil, base d'une « civilisation brillante », possédait tous les caractères de la société dite « sous-développée » : il s'agissait d'une société fortement agricole, de pauvreté de masse à faible demande sociale, une société de sous-consommation et de crises de subsistance, où la productivité de la terre et du travail agricole était faible, de même que le taux d'investissements productifs. Les rendements agricoles stagnaient ou croissaient lentement. Famines et disettes étaient fréquentes.

Le grand bond culturel que constitua le passage de la cueillette à l'agriculture fit aussi le malheur des paysans. Pour le plus grand nombre, l'appropriation de leur principal outil de travail – la terre – entraîna leur soumission aux propriétaires. L'avènement du système alimentaire agricole, qui devait permettre une exploitation de la nature mieux adaptée à la croissance démographique, fut aussi celle de l'exploitation des paysans par une minorité de privilégiés.

Néanmoins, certains progrès s'effectuèrent : les paysans de l'âge agricole utilisèrent l'araire puis la charrue, l'énergie animale et naturelle et, vers la fin de la période agricole, diversifièrent la production et la consommation alimentaires. Par la domestication, l'homme mit les espèces utiles à sa disposition : il les transforma selon ses objectifs.

Avec le développement de l'agriculture et de l'élevage, le développement de l'homme ne dépend plus seulement de la générosité de la nature mais de sa capacité à la comprendre, à la maîtriser, à l'organiser. Le grand processus d'artificialisation de l'univers est en cours. Devenu créateur d'« agro-systèmes », l'homme va bientôt s'interroger et s'étonner de son audace : ne serait-il pas en train de détruire l'œuvre des dieux ou les biens reçus de l'univers ? Le progrès agricole ne fut pas négligeable, mais il fut lent, et l'adaptation population-production rarement satisfaisante. Les réformes et révolutions sociales des XVIIIe et XIXe siècles, de même que la révolution industrielle, ont créé de nouvelles conditions culturelles, sociales et matérielles de la production, qui se sont révélées plus favorables à la croissance agricole et globale. Un nouvel âge va naître, l'âge agro-industriel.

L'âge agro-industriel

Nous qualifions ainsi la période alimentaire qui commence à la fin du XVIIIe siècle, à la suite des changements qui se produisent en Europe à partir du XVIIe. Du point de vue alimentaire, ce changement est marqué par l'avènement d'une nouvelle agriculture, par le rôle croissant des sciences dans le développement agro-alimentaire, par la généralisation de l'économie alimentaire marchande, par la participation de l'industrie au processus de production agricole et alimentaire. Tous ces changements provoquent en Occident le passage de la société de pauvreté de masse à la société de consommation de masse et la mondialisation de l'économie alimentaire. Envisageons sommairement ces différents aspects.

Vers la fin du Moyen Age, se forme aux Pays-Bas une agriculture nouvelle, relativement intensive, basée sur l'intégration de l'agriculture et de l'élevage. Cette nouvelle agriculture devient très tôt florissante. Densité de population, importance du commerce, niveau culturel et société libérale ne sont certainement pas étrangers à ce développement précoce. Cette agriculture nouvelle gagne l'Angleterre où elle s'affirme. En France, Voltaire écrit que la nation « rassasiée de vers, de romans, d'opéras, se mit enfin à raisonner sur les blés ». Les physiocrates, économistes et agronomes vantent la supériorité de l'agriculture nouvelle et élaborent une remarquable théorie du développement agricole. L'objectif est d'augmenter la production de céréales, base de l'alimentation, et aussi de diversifier celle-ci en généralisant maïs et pomme de terre dans les assolements. Pour augmenter les rendements il faut faire du fumier ; pour augmenter le cheptel il faut introduire les fourrages dans l'assolement et supprimer les jachères. Les principes fondamentaux de l'agriculture nouvelle sont résumés par la célèbre formule : « plus de fourrages = plus de bétail = plus de fumier = plus de céréales ».

Cette théorie biologique du développement se situe encore dans le contexte de l'agriculture de la période agricole. Elle se réfère à l'usage croissant de la matière organique comme engrais, à la substitution du système de polyculture et d'élevage au vieux système de production fondé sur la séparation de l'agriculture et de l'élevage, à l'usage de l'énergie animale. Les physiocrates prennent l'Angleterre comme exemple et rêvent de grandes fermes et d'agriculture capitaliste. Ils veulent attirer les capitaux dans les campagnes et instruire les paysans. Ces thèses traduisent un changement radical de la société dominante à l'égard de l'agriculture.

Le changement social crée par ailleurs les conditions de la mise en œuvre de la nouvelle agriculture. Les révolutions ou réformes libèrent les terres et les hommes, motivent les paysans par l'accession à l'autonomie juridique et à la propriété, conditions qui, en Flandre, changent le « sable en or ». La nouvelle agriculture ne sera pas capitaliste, mais les nouvelles conditions techniques et sociales généraliseront en Europe, à l'exception de l'Angleterre, l'exploitation familiale de polyculture et d'élevage, base agricole du développement européen.

Le développement scientifique modifie les bases de la production agricole, fondée sur la restitution de la fertilité par la matière organique, en augmentant, vers la fin du XIXe siècle, l'usage des engrais chimiques. Simultanément, les agronomes pratiquent des méthodes rigoureuses d'expérimentation, permettant des pesées plus précises d'avantages relatifs. Peu à peu, une pensée scientifique se construit et se développe dans les trois champs privilégiés de l'agronomie : la sélection, la nutrition et l'hygiène des espèces cultivées et élevées. A la fin du XIXe siècle, les travaux de Pasteur sur les micro-organismes (fermentations, pasteurisation, protection sanitaire) connaissent de multiples applications. De plus, l'enseignement primaire gratuit et obligatoire favorise enfin l'instruction des paysans (Danemark, 1814; France, 1882), de même que le développement des premières formes d'enseignement et de vulgarisation agricoles. Plus tard, sciences et pratiques se rapprocheront pour donner naissance à l'agriculture « productiviste ».

La révolution industrielle eut de nombreuses conséquences sur l'alimentation et l'agriculture. L'essor de l'industrie entraîne la création d'emplois en ville et réduit considérablement le nombre d'agriculteurs. Au Royaume-Uni, la population agricole active, comparée à la population active totale, passe de 47 % en 1830 à 9 % en 1950. En France, pour les mêmes dates, elle passe de 61 % à 30 %. Il s'ensuit une croissance extraordinaire des « complexes urbano-industriels ». Avec la réduction de la population agricole et la forte croissance de la population urbaine, l'économie de subsistance diminue et l'économie alimentaire marchande progresse. Celle-ci devient prédominante dès la fin de la première moitié du XIXe siècle, et entraîne la commercialisation et la spécialisation de l'agriculture sur une grande échelle.

L'expansion commerciale fut grandement facilitée par l'application des découvertes industrielles aux transports. L'usage de la machine à vapeur, la multiplication des voies ferrées, la substitution de la marine à vapeur à la marine à voiles et, plus tard, l'usage du froid révolutionnent les transports. L'échange est accru par le triomphe du libéralisme, par le développement des empires coloniaux et par l'expansion européenne dans le monde. Il en est résulté un bouleversement de l'économie alimentaire mondiale.

L'Europe du XIXe siècle fut le lieu du plus important mouvement migratoire à longue distance que l'histoire ait connu. De 1815 à 1915, environ quarante-six millions d'Européens ont migré outre-mer, et environ vingt millions de 1920 à 1970. Ce qui provoqua une extraordinaire expansion des pays dits jeunes : aux États-Unis, la surface cultivée en blé passa de deux millions à près de six millions d'hectares de 1880 à 1900, et le troupeau ovin australien de vingt-trois millions à cent six millions de têtes de 1861 à 1891. Les importations européennes de produits alimentaires de base, en provenance du monde entier, connurent un développement spectaculaire. Pendant la grande crise agricole de la fin du XIXe siècle, la France adopta une politique protectionniste (loi Méline). Mais la chute des prix agricoles qui survint à la fin du XIXe siècle contribua au changement du modèle de consommation alimentaire, notamment par l'entrée dans ce modèle d'une proportion croissante de calories relativement chères (surtout animales).

Le développement international d'une économie alimentaire marchande est une conséquence indirecte de la révolution industrielle. Mais celle-ci eut des effets directs sur les systèmes alimentaires. Les développements scientifique et industriel entraînent non seulement la croissance de la production de produits chimiques (engrais, produits phytosanitaires), mais aussi le passage de l'agriculture attelée traditionnelle à l'agriculture attelée mécanisée. Toutes les opérations agricoles qui peuvent être mécanisées le sont. L'agriculture commence à utiliser l'énergie mécanique sous forme de machine à vapeur et de moteur à explosion. Mais l'agriculture motorisée ne se développe sur une grande échelle que dans la seconde moitié du XXe siècle.

L'industrie transfère aussi ses méthodes de production vers l'agriculture : division du travail, gestion « rationnelle », production de masse, haute productivité. Un exemple typique de cette évolution nous est donné par l'extraordinaire développement des élevages dits « industriels » (volailles, porcs) dans les années 50. La combinaison industrie-agriculture dans le processus de production agricole, la substitution de capital industriel au travail agricole, qui en résulte, la progression des rendements liée au progrès scientifique entraînent une fantastique croissance de la productivité du travail agricole. La société de l'âge agricole supportait 2,5 personnes par actif agricole, la société agro-industrielle peut en supporter de cinquante à cent à des niveaux de consommation quatre fois plus élevés, et les stocks s'accumulent !

Dans le contexte global de l'industrialisation du XIXe siècle, la transformation alimentaire s'industrialise aussi. Nicolas Appert, dès le début du XIXe siècle, met au point la conservation des aliments par stérilisation. Pasteur, vers 1860, donne une base scientifique à cette pratique, et la « pasteurisation » connaît de multiples applications. On fabrique du lait concentré, des extraits de viande et de la margarine. La création de la chaîne du froid, qui s'étend jusqu'aux ménages (par l'usage des réfrigérateurs et des congélateurs), bouleverse les conditions de la distribution et de la consommation alimentaires.

L'industrialisation des systèmes alimentaires s'accomplit surtout par des transferts d'activités sur la chaîne des opérations agro-alimentaires. Transferts qui se réalisent d'abord par la substitution de produits industriels aux produits fermiers (produits laitiers, bière, alcools, etc.). L'industrialisation des transformations jusqu'alors effectuées par l'agriculture, commencée au XIXe siècle, s'achève au XXe (substitution généralisée du beurre industriel au beurre fermier). Plus récemment, la production d'aliments services s'est développée, réduisant le temps de travail ménager. L'industrie greffe sur la denrée alimentaire des activités secondaires et tertiaires, sous forme de commodités et d'informations. La restauration substitue des aliments servis* aux aliments services et supprime tous les travaux domestiques. Il en résulte une forte croissance de la part de l'industrie dans les dépenses alimentaires, qui deviennent égales ou supérieures à celles de l'agriculture, marquant dans les années 80 le triomphe en Europe de l'agro-industrie proprement dite.

La période agro-industrielle a entraîné la formation d'un nouveau modèle de consommation alimentaire consécutif au jeu de toutes les tendances que nous avons constatées et, plus directement, de l'évolution

Industrialisation de la transformation. *La laiterie industrielle a substitué au beurre et au fromage «fermiers» ainsi qu'au yaourt «maison» les produits laitiers «fabriqués en usines». Le consommateur perd en diversité (et gagne en homogénéité). Le produit agro-industriel, issu de l'industrie alimentaire, est une marchandise adaptée à la consommation de masse.* Ph. © Nieto / Jerrican.

des variables déterminant les MCA. Les disponibilités par tête ont augmenté, et l'Occident a atteint le stade de l'économie alimentaire d'abondance. La croissance de la capacité de consommation a permis d'atteindre celui de la consommation de masse. Les conditions pratiques de la consommation se sont considérablement modifiées (urbanisation croissante, généralisation de l'usage de l'automobile, journée continue,

Industrialisation de la production.
L'Europe est carnivore : environ 40 % des calories finales consommées sont d'origine agricole. Dans les années 50, l'Europe a connu un extraordinaire développement des élevages dits industriels fondé sur la production commerciale de fourrages concentrés. L'industrie des aliments minimise les coûts en s'approvisionnant sur le marché international et, ainsi, contribue au développement de la société de consommation de masse.
Ph. © H. Berthoule / Explorer.

modification du statut économique de la femme, etc.), ainsi que les conditions culturelles (généralisation de l'éducation, voyages, information des consommateurs, publicité, etc.).

De ces changements des déterminants des MCA, et de la croissance du produit intérieur brut réel par habitant, qui mesure la croissance économique, procède une évolution de la consommation selon la loi de croissance alimentaire : lorsque le produit intérieur brut par habitant s'élève, la consommation en calories finales est croissante, mais non proportionnelle, et tend vers une limite (loi de la consommation énergétique), la structure de la consommation se modifie (lois des substitutions de Michel Cépède), la dépense alimentaire du consommateur croît en valeur absolue, mais diminue en valeur relative (loi de Engel). Ces lois, vérifiées à l'échelle occidentale et au-delà, sont aujourd'hui bien connues.

Mentionnons cependant quelques aspects fondamentaux des substitutions, car celles-ci ne sont pas seulement liées à la croissance économique, mais au développement, c'est-à-dire aux modifications culturelles et matérielles qui caractérisent l'âge agro-industriel. Les aliments à calories chères (viandes, produits laitiers, fruits et légumes) se substituent aux aliments à calories bon marché (céréales, légumes secs) et la proportion de calories animales augmente dans la ration. La structure nutritionnelle évolue dans le sens d'une augmentation de la proportion de protides et surtout dans celui d'une substitution de lipides aux glucides. Les produits « industrialisés » remplacent les produits « agricoles » et la proportion des produits services augmente.

Finalement, la société de consommation de masse se substitue à la société de pauvreté de masse. Cela n'est pas seulement le fruit de la croissance et des lois du marché, mais aussi celui des combats ouvriers pour le partage des gains de productivité. La société de consommation de masse ne signifie pas une alimentation égalitaire (*cf.* schéma p. 21), mais la possibilité de grands marchés de denrées alimentaires diversifiés. Les supermarchés sont les cathédrales de la société de consommation.

De nombreux pays ont maintenant atteint ce stade. Les pays les plus riches l'ont même dépassé et ont atteint celui de la société de satiété alimentaire moyenne. Cela signifie que la consommation moyenne par habitant, exprimée en calories finales ou initiales, n'augmente plus, en raison de la saturation énergétique en calories végétales et animales. A ce stade, la substitution des calories animales aux calories végétales est achevée, et l'effet global du revenu sur la demande en calories est nul : la consommation tend à s'ajuster aux besoins.

Bien que la consommation calorique n'augmente plus, la dépense alimentaire continue de croître, en raison des substitutions qualitatives (vin d'origine substitué à celui de qualité courante, poulet fermier substitué à l'industriel, légumes «pot-au-feu sous vide» substitués aux achats en vrac, etc.) et par l'augmentation des produits services, diététiques et servis. Les industries alimentaires sont les principales bénéficiaires de cette évolution.

La saturation énergétique moyenne n'est pas une saturation généralisée. Aucune société développée, malgré l'abondance agricole et l'accumulation de surplus, n'est parvenue à éliminer ni la pauvreté ni la sous-consommation alimentaire. Il faudrait pour cela mettre en œuvre des politiques alimentaires appropriées. Toutefois, l'Europe, qui a incontestablement une politique agricole, n'a pas de politique alimentaire.

Société de consommation de masse. *Les supermarchés sont les cathédrales de la société de consommation de masse : on trouve « tout sous le même toit », on remplit le caddie... la voiture attend sur le parking.* Ph. © Daudier / Jerrican.

Au terme de cette évolution prédomine dans la société agro-industrielle un MCA, dont les caractères fondamentaux peuvent être résumés comme suit. Il s'agit d'un modèle marchand, ce qui signifie que l'économie alimentaire est totalement intégrée dans l'économie globale (l'agriculteur va s'approvisionner au supermarché « comme tout le monde ») et que l'adaptation du modèle alimentaire procède non seulement des règles

Les aliments du terroir. *Au stade de la consommation de masse, la recherche des aliments des terroirs, porteurs de paysages et de saveurs d'antan, devient la recherche d'une société satisfaite quantitativement. La nécessité et le plaisir sont les moteurs de l'histoire alimentaire : la nécessité satisfaite, la recherche du plaisir alimentaire s'étend.*
Ph. © C. Martin / Iconos / Explorer.

nutritionnelles (plus ou moins bien connues) mais aussi des mécanismes du marché et des prix relatifs, compte tenu des budgets des consommateurs.

Ce modèle est également un modèle de consommation de masse, qui procède de la distribution et de la production de masse, mettant à la disposition du consommateur une grande quantité de produits services diversifiés, normalisés et marqués. Le modèle est en outre internationalisé par intégration et transferts de produits et de recettes du monde entier. Cette internationalisation résulte du rôle croissant des multinationales agro-alimentaires, des migrations de travailleurs, de la mobilité toujours plus grande des hommes pour leurs affaires et leurs plaisirs. Il est en outre caractérisé par la croissance de la restauration collective et commerciale. En effet, on constate que dans la société de consommation de masse il existe une tendance vers la restauration de masse. Le consommateur américain, par exemple, dépense près de 50 % de son budget alimentaire au restaurant.

Mais ce modèle possède aussi un haut profil bioénergétique, en raison de la forte proportion de calories animales et de la sophistication des produits alimentaires, et un haut profil de consommation d'énergie mécanique (il faut plus de calories mécaniques que de calories biologiques pour faire une calorie dans la bouche du consommateur, soit plus de dix en Europe vers 1980). Il a aussi un coût social élevé, en raison de son coût énergétique, de l'incorporation de services et du développement de la restauration, de la substitution du travail salarié (payé) au travail domestique féminin (impayé), etc. Enfin, il est souvent considéré comme insatisfaisant sur les plans nutritionnel et qualitatif. Ni l'abondance ni la satiété quantitative ne suffisent à faire une alimentation satisfaisante. La satiété qualitative devient justement l'objectif principal de la société quantitativement saturée. L'aliment-santé est notamment une revendication majeure de la société agro-industrielle.

Quel long chemin parcouru du chasseur-cueilleur que fut l'*Homo habilis* à l'«*Homo consumeris*» de 1990! Mais pourtant, la société riche n'a pas totalement gagné son combat quantitatif contre la faim : il subsiste des pauvres et des sous-alimentés dans toutes les sociétés riches. Elle n'a pas non plus gagné son combat pour une alimentation qualitativement satisfaisante. Mais ce combat pour la qualité sera-t-il jamais achevé? La qualité est faite d'objectif et de subjectif, et par là est soumise aux fantaisies et aux plaisirs des hommes. Les substitutions qualitatives feront l'histoire des sociétés riches. Mais l'alimentation est bien inégale dans le monde. Le combat contre la faim est un combat inachevé dans de nombreux pays.

Des plantes et des animaux prospectés
et domestiqués pour produire nos aliments.
Le développement d'une rationalité scientifique
porteuse d'espoirs. L'acquis de trois millions
d'années ! Et pourtant un combat inachevé :
disettes et famines subsistent
dans certaines zones du monde.

Et demain ? La faim sera-t-elle éliminée ?
La nature, protégée, pourra-t-elle produire
durablement le pain des hommes ?
L'humanité pourra-t-elle devenir sage ?
Il nous faut vouloir et pouvoir le faire !

Le combat inachevé

Le combat inachevé.
(page précédente)
Pour gagner son combat contre la faim, l'homme doit encore approfondir sa connaissance de la nature et produire des espèces plus productives. Telle fut l'œuvre du professeur Barlaug, prix Nobel de la paix, père de la révolution verte. Le champ d'expérimentation demeure le lieu des confrontations des savoirs et des techniques. Mais le progrès technique ne suffit pas pour éliminer famine et sous-consommation...
Manger est aussi un acte politique.
Ph. © Wolff/Jerrican.

L'histoire des rapports de l'homme et de la nature comme celle de l'agriculture et de l'alimentation sont peu contées : « Comme vous le savez, dans l'histoire on ne mange pas, et on ne boit pas » (F. Braudel). Réintroduire l'histoire alimentaire dans l'histoire générale nous fournit pourtant un vaste champ de réflexion pour repérer les variables explicatives de l'alimentaire. Mais les explications d'hier valent-elles pour demain ?

La relecture de l'histoire nous permet de voir les formes et les modalités d'adaptation culturelle des systèmes alimentaires, en fonction des contextes physiques et humains, et compte tenu du développement culturel de l'homme. Ainsi, nous savons que le niveau de consommation alimentaire dépend de la façon dont les hommes s'organisent pour produire et consommer. Pour produire, car le niveau de consommation dépend du statut social des paysans, de leur capacité à investir, de leur maîtrise des processus de production, de leurs acquis technologiques et du concours de la science, de leurs motivations à produire liées aux systèmes sociaux, des grands événements de l'histoire générale, comme les découvertes et le transfert des espèces ou la révolution industrielle. Pour consommer, car le niveau de consommation dépend de l'approvisionnement des consommateurs, du pouvoir d'achat défini par les prix réels et de la distribution sociale de ce pouvoir.

Demain, comme hier, l'histoire alimentaire à faire procédera à la fois de changements culturels, matériels et socio-économiques, ce qui rend toute prévision difficile. La dialectique des faits et des idées, qui explique les mouvements de l'histoire, ne s'arrête pas. Le système des questions-réponses hante l'intelligence humaine.

Quelles sont les prévisions alimentaires actuelles ? La vision des optimistes se heurte à celle des pessimistes, et les prévisions aboutissent parfois à des contradictions effarantes. Procédons à quelques estimations afin d'aider le lecteur à une prise de conscience de notre devenir alimentaire.

Le déséquilibre mondial

L'alimentation inéquitable

L'inégalité alimentaire est naturelle : les hommes n'ont pas les mêmes besoins ni les mêmes conduites alimentaires. L'alimentation inéquitable, en revanche, signifie que les hommes ne reçoivent pas selon leurs besoins. Elle est liée aux formes sociales d'organisation de la production et de la consommation. Elle blesse nos sentiments, et les famines provoquent d'importantes collectes de dons. Il vaudrait pourtant mieux en supprimer les causes !

MAN	CF	CA	CI	EC (jour)	EC (année)
occidental ou riche	3 500	1 200	10 700	3	1 095
intermédiaire	2 800	600	6 400	1,8	667
pauvre	2 000	100	2 600	0,7	256

MAN : modèle agro-nutritionnel, soit les disponibilités moyennes par jour et par habitant.
CF : calories finales disponibles par jour et par habitant.
CI : calories initiales; calculées sur la base de sept calories végétales pour une calorie animale.
CA : calories animales.
EC : équivalents céréales en kg.

Nos informations sur la distribution mondiale des disponibilités alimentaires, et surtout sur les distributions sociales, sont grevées de fortes incertitudes. Nous nous en tiendrons à des estimations grossières reflétant ces incertitudes. Sur la base des données de la FAO, le schéma de la page précédente donne une échelle des niveaux et de la structure de la consommation alimentaire mondiale.

Trois modèles sont considérés, que nous appelons respectivement occidental ou riche, intermédiaire, et pauvre. Le premier modèle comprend l'ensemble des pays occidentaux, plus quelques autres. Le modèle intermédiaire est celui des pays d'Europe de l'Est, d'Amérique latine et des mieux pourvus des pays d'Asie et d'Afrique. Le modèle pauvre représente les pays les plus pauvres du monde. Ces modèles étant constitués de moyennes de groupe, l'écart s'en trouve réduit. Mesuré en équivalents céréales (EC), cet écart va cependant de un à quatre. En consommation de ressources alimentaires, un « estomac de riche » vaut environ quatre « estomacs de pauvre » !

Pour estimer la situation, il faudrait pouvoir comparer les apports aux besoins et se demander dans quelle mesure l'écart procède de l'inégalité naturelle ou de l'inéquité. Mais cela ne va pas sans difficultés, car les sciences de la nutrition sont encore incertaines, comme le confirment les différents conseils en matière de consommation ces dernières années, concernant les protéines notamment.

Les nutritionnistes ne peuvent pas fixer de manière satisfaisante la proportion de calories animales souhaitable dans la ration, car seule compte la composition en acides aminés. Or cette composition varie selon la teneur protéique des aliments consommés. Ils pensent cependant que les produits animaux pourraient être raisonnablement limités dans la ration des pays riches. Mais il ne faut pas oublier que l'homme ne consomme pas seulement pour se nourrir, mais aussi pour son plaisir. Combien faut-il absorber de calories animales pour être physiologiquement satisfait et psychologiquement heureux ?

Les pays riches montrent les ajustements qui se produisent lorsque le pouvoir d'achat est élevé et les aliments abondants. Or, nutritionnistes et consommateurs critiquent le modèle occidental. Les pays intermédiaires et pauvres se dirigeront-ils vers un autre modèle ? Si jamais ils devenaient riches, seraient-ils capables de plus de sagesse alimentaire que les Occidentaux ? Bref, de nombreuses incertitudes statistiques et scientifiques donnent le champ libre pour les hypothèses les plus sombres ou les plus optimistes. Mais disettes et famines sont bien réelles dans les pays pauvres, et, dans les pays riches, une partie de la population demeure en situation de sous-consommation.

Joseph Klatzmann, après une analyse critique des données disponibles, se « hasarde » à dire que sur une population totale de plus de cinq milliards d'hommes, un milliard et demi souffrent de « malnutrition » (régime alimentaire de valeur énergétique suffisante mais nutritionnellement déséquilibré), et près de deux milliards souffrent de sous-alimentation (valeur énergétique de la ration insuffisante) dont un demi-milliard quotidiennement... Soit, au total, trois milliards et demi de « mal-nutris » et de « sous-nutris ». Par ailleurs, plus d'un demi-milliard de la population des pays riches compromet sa santé par une alimentation excessive et inadaptée. Le combat pour une alimentation saine et suffisante est loin d'être achevé.

L'occidentalisation des modèles de consommation des pays pauvres et les inconvénients qui en résultent sont souvent dénoncés. Tout d'abord, entendons-nous sur la notion d'occidentalisation. Si cela signifie la substitution du MCA occidental aux MCA des pays pauvres, il n'y a aucune chance que cela puisse se produire à court terme. Selon le schéma de la page 77, pour passer du modèle pauvre au modèle intermédiaire, il faudrait plus que doubler la consommation par tête dans les pays pauvres. En envisageant d'atteindre cet objectif dans vingt ans, il faudrait assurer une croissance de la production alimentaire dans les pays pauvres de 3,5 % par an, tout en comptant par ailleurs sur une croissance nulle de la population. Or, dans les pays pauvres, celle-ci est de l'ordre de 2,5 % par an, et plus ces dernières années. Une croissance totale de la production alimentaire de 6 % par an serait donc nécessaire. A ce taux, la production doublerait environ en douze ans. Effort colossal, car l'histoire nous apprend que le progrès technique implique un changement culturel et social.

Mais des « occidentalisations » partielles peuvent se produire. Par exemple, on peut substituer ou ajouter des denrées et des consommations importées (blé et pain) à des productions locales (sorgho et bouillies).

L'histoire nous apprend en effet que la confrontation des modes de consommation produit des changements alimentaires, et que l'Europe consomme pour l'essentiel des aliments venus d'ailleurs. Mais les tiers-mondistes, avec raison, dénoncent la dépendance alimentaire qui résulte de l'échange lorsque les produits importés ne proviennent pas d'espèces cultivables dans les pays importateurs. Ils affirment que le tiers monde a le droit de se nourrir lui-même. Certes, mais qu'est-ce qu'un droit sans pouvoir ? Ce qu'il faudrait affirmer et démontrer, c'est que le tiers monde a le pouvoir de se nourrir lui-même.

La population, variable stratégique

Historiquement, la variable démographique joue un rôle central dans l'équilibre alimentaire, car elle détermine à la fois la demande et l'offre potentielle basée sur la force de travail. Les théories historico-démographiques mettent l'accent sur le jeu des flux de population et de production dans l'explication des cycles agraires et des crises de subsistance. Malthus, s'intéressant au long terme, voit au-delà des cycles une tendance à la famine structurelle. Il est impressionné par le taux exponentiel de croissance de la population : en effet, si celle-ci croît au taux de 3,5 % par an, elle double en vingt ans ; elle est multipliée par trente-deux en cent ans et par plus de mille en deux siècles ! Constatant que la population croît plus vite que la production (loi des rendements décroissants), Malthus en tire la conclusion que l'humanité court à la catastrophe. Pour lui, la cause n'est pas dans les formes d'organisation de la société, comme le dirent les premiers socialistes, mais dans la nature. « Marâtre nature », écrit-il ! La famine ayant pour lui des causes « naturelles », il propose, par le biais de la continence, d'adapter les naissances aux richesses disponibles. Dans le célèbre paragraphe du banquet de la nature, il écrit qu'il n'y a pas place pour tous à ce banquet. La figure de la page 84 est une représentation schématique de la croissance démographique mondiale : elle montre les jeux des taux de natalité et de mortalité sur cette croissance.

Manifestement, à l'âge agricole, la croissance potentielle a été stoppée dans ses effets. C'est que les trois chevaliers de l'Apocalypse, ceux des guerres, des épidémies et des famines, ont provoqué une mortalité en dents de scie et, malgré des taux de natalité élevés, ont ramené la croissance à un faible taux (de l'ordre de 0,5 % par an selon Alfred Sauvy). L'accélération commence avec l'âge agro-industriel, marqué en Occident par une forte baisse des taux de mortalité. Celle-ci a gagné le tiers monde après la dernière guerre, provoquant l'explosion démographique. Il semble que nous entrons aujourd'hui dans une phase de transition, marquée par un ralentissement de la croissance. Cette tendance résulte du rapprochement des taux de natalité et de mortalité, entraînant, lorsqu'ils deviennent égaux, la stabilisation de la population.

Le déclin démographique a déjà commencé dans les pays riches, et la transition est sensible dans les pays à revenus intermédiaires et dans quelques pays pauvres. En revanche, certains pays pauvres, tels que ceux du sud du Sahara, ont connu une croissance démographique supérieure dans les années 80 (3,2 %) à celle enregistrée entre 1965 et 1980 (2,7 %).

Pour qu'un pays pauvre tende vers la suffisance alimentaire d'une manière autonome (importations nulles ou égales aux exportations alimentaires), il faut que le taux de croissance de la production soit supérieur à celui de la population à long terme. Une telle tendance se rencontre dans plusieurs pays d'Asie, notamment en Chine, alors que les disponibilités par habitant diminuent au Proche-Orient depuis 1980 et en Afrique depuis 1970. Des baisses importantes sont constatées en Iran, Éthiopie, Somalie, Bangladesh, Zaïre, Nigeria. Dans plusieurs pays la guerre a contribué à la gravité croissante des situations alimentaires.

Les partisans du progrès technique (variable que Malthus avait négligée dans son équation du développement social) restent optimistes, à condition, disent-ils, de mobiliser la science au profit du développement. Certes, mais il faut aussi mobiliser les politiques, convaincre les gouvernements d'aider l'agriculture, donner un statut social convenable au paysan, car il s'agit d'organiser la société en vue de la croissance et de la répartition des gains de productivité.

En admettant que tout cela puisse être fait dans des délais raisonnables, beaucoup d'« experts » pensent que cela ne suffira pas, et qu'il faudra réduire la croissance démographique pour parvenir à l'équilibre. Un homme aussi éclairé que René Dumont, auteur de nombreux ouvrages sur l'agriculture mondiale, peu

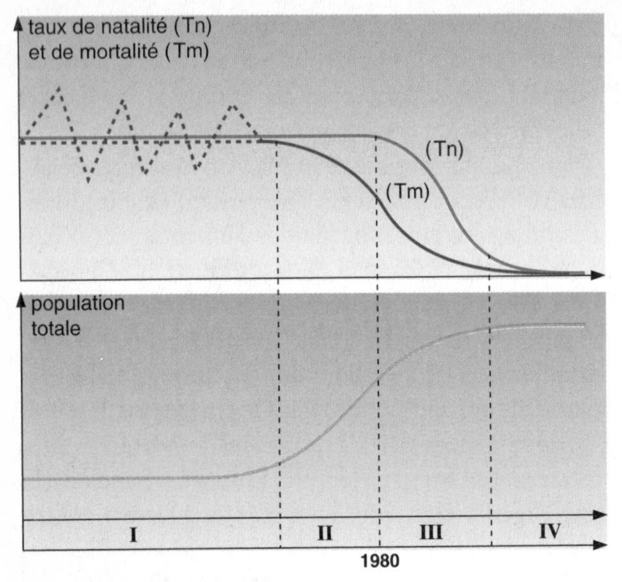

I : société traditionnelle historique
II : accélération démographique
III : transition
IV : stabilisation

Source : Louis Malassis, 1992.

Les grandes périodes démographiques historiques et prévisionnelles.
Les deux variables du système démographique sont les taux de natalité et celui de mortalité. Les taux bruts indiquent le nombre annuel de naissances vivantes et de décès pour 1 000 habitants. Actuellement ces taux sont respectivement de l'ordre de 48 et 17 dans l'Afrique subsaharienne, et de 13 et 9 dans les pays riches. Les taux de croissance de la population dépendent des jeux de ces taux. Si les précédents se maintenaient, les croissances seraient respectivement de 3,1 et de 0,4 %. Lorsque le taux de natalité est constant et égal au taux de mortalité, le taux d'accroissement de la population est nul : l'état stationnaire est atteint.

enclin à expliquer la sous-alimentation par les arguments de Malthus, se rallie pourtant à la nécessité d'un ralentissement de la croissance démographique dans certains pays.

Au XIXe siècle, les socialistes ont toujours été des adversaires irréductibles de Malthus, et les plus audacieux prévoyaient une société où chacun vivrait selon ses besoins. Le rêve est passé. Selon Sauvy, il existe « deux Marx », l'Occidental et le Chinois. Le premier dit qu'il suffit de changer la société pour résoudre le problème de la faim. Le second pense que changer la société est une condition nécessaire, mais non suffisante : il a engagé la Chine dans la politique de réduction des naissances la plus draconienne que l'histoire ait connue. Mais la baisse de la croissance démographique qui en est résultée et la hausse de la production ont permis l'augmentation des disponibilités alimentaires par habitant.

Pour tous ceux à qui répugnent violence et coercition, sous toutes leurs formes, serait-il possible qu'ils obtiennent de tels résultats par d'autres voies, notamment par l'information et la persuasion ? Que de sensibilités et de susceptibilités à respecter ! Toute intervention malhabile risque d'aggraver la situation au lieu de l'améliorer. Comment convaincre les Églises, les gouvernants et l'opinion des pays pauvres, qui risquent d'y voir une politique inspirée par l'Occident ?

Les catastrophes, provoquées par les comportements irrationnels de l'homme, ne sont pas toujours évitables. Les années les plus difficiles seront celles à venir, surtout dans les pays pauvres à forte croissance démographique. Certes, il faut respecter le droit des peuples à faire des enfants, à condition toutefois que le peuple s'organise socialement et mobilise ses moyens pour créer les conditions nécessaires pour les nourrir. Il faudrait aussi que la communauté internationale aide les peuples pauvres et les délivrent de leur subordination aux puissants et des prélèvements qui en résultent, par la voie de l'échange international inégal.

Problématique de l'équilibre

Le taux d'accroissement de la population mondiale est de 1,6 % par an ; il ne cesse de diminuer depuis le maximum atteint en 1970 et, selon les démographes, cette diminution va probablement se poursuivre. Le problème est de savoir quand l'égalité entre mortalité et fécondité sera atteinte, entraînant la croissance zéro et la stabilisation de la population. La Division de la population des Nations unies a établi trois hypothèses de croissance : selon l'hypothèse moyenne, la population mondiale pourrait se stabiliser à 10,2 milliards d'hommes vers 2095.

Les travaux des agronomes conduisent à penser que la planète est capable de nourrir dix milliards d'hommes au IIe millénaire ; mais, étant donné la division politique du monde, il s'agit d'assurer l'équilibre par zones échangistes ou par pays autonomes, car l'évolution démographique va se manifester géographiquement à des rythmes très différents.

Sur la base de projection moyenne des Nations unies, on calcule qu'entre l'an 2000 et l'an 2100 la population sera multipliée par 1,1 en Europe, 1,5 en Amérique, 1,7 en Asie et 3,2 en Afrique. Sur le continent africain, la population passerait de 880 millions à 2 840 millions d'habitants ! La répartition de la population à la surface du globe va s'en trouver considérablement changée, et la part des pays actuellement développés fortement diminuée. Albert Jacquard parle de « dérive des continents humains ». C'est dans les pays pauvres que la croissance agricole devrait être la plus forte, et c'est sur l'agriculture méditerranéenne et tropicale qu'il faudra porter nos efforts.

La croissance peut en effet procéder de modèles* fermés ou ouverts. Les premiers sont ceux de l'autonomie* alimentaire, les seconds sont ceux qui, tout en maximisant la production intérieure, acceptent l'échange international d'hommes et de produits. Dissipons une confusion engendrée par la terminologie courante entre autonomie alimentaire et « autosuffisance ». En effet, au cours de l'histoire, des sociétés de pauvreté de masse ont fréquemment eu une balance commerciale agricole exportatrice. Ces sociétés exportaient la sous-consommation du peuple. Ce n'est pas parce que l'Inde est parvenue à une relative autonomie alimentaire en réduisant ses importations qu'elle est parvenue à la suffisance nutritionnelle. La simple vision des faits et les statistiques le prouvent.

En recourant à notre modèle économico-démographique (*cf.* Annexes p. 109), nous pouvons faire apparaître quelques-unes des variables fondamentales de l'équilibre : la surface agricole, la population totale, la population agricole active, la production alimentaire totale et la consommation alimentaire totale. Ces variables permettent de caractériser les systèmes alimentaires et nous autorisent à établir une typologie mondiale de ces systèmes, que nous ne saurions reprendre ici avec l'ampleur désirée.

Le modèle permet de montrer que le processus d'adaptation de l'agriculture est commandé par deux variables externes : le niveau de développement (exprimé par le nombre d'habitants par actif agricole) et celui du peuplement (nombre d'habitants par hectare agricole). Ces deux variables sont fortement marquées par l'histoire. Ainsi, les pays développés, à faible pourcentage d'actifs agricoles dans la population totale, doivent atteindre une très forte productivité du travail. Les pays densément peuplés, à faible surface agricole par habitant, doivent atteindre une forte productivité de la terre. Les niveaux de productivité agricole ne sont pas seulement le reflet du développement technique, ils sont aussi le résultat des mécanismes d'adaptation de l'agriculture à un contexte socio-économique donné.

Les perspectives d'équilibre à terme dépendent finalement de l'évolution des charges alimentaires par actif agricole et par hectare, et de la capacité de porter les productivités au niveau de la demande sociale par actif et par hectare. Il est peu probable que le « manque de bras » soit un facteur qui limite la production alimentaire, le développement s'accompagnant d'une substitution du capital au travail. Il n'en va pas de même pour l'espace cultivé.

Les prévisions de croissance des surfaces cultivables sont aussi peu cohérentes que celles dont nous disposons pour la production. Les plus sérieuses ne sont guère optimistes. Pour être cultivable, un sol doit satisfaire plusieurs conditions ; l'eau, notamment, est indispensable. L'examen des surfaces possibles montre que leur mise en valeur serait coûteuse et pourrait avoir des effets écologiques néfastes (comme dans le cas de la destruction de la forêt tropicale). D'autre part, le manque d'eau risque souvent d'être un facteur limitant. Compte tenu des besoins non agricoles de terres (extension urbaine, réseaux routiers, maisons de campagne), de la dégradation des sols, de l'avancée des déserts, etc., les spécialistes estiment que les surfaces cultivées par habitant ont des chances de diminuer plutôt que d'augmenter. C'est donc finalement la charge humaine par hectare qui constitue inexorablement la limite du possible.

Nourrir les hommes

Fourbissons nos armes !

Combien peut-on nourrir d'hommes par hectare ? Cette question en appelle une autre : de quel homme s'agit-il ? De celui qui consomme environ 1,5 kg d'équivalents céréales (EC) par jour, ou de celui qui en consomme 3 kg ? La population, pour être évaluée en unités de consommation (UC), doit être pondérée par la consommation par tête. C'est ainsi qu'au niveau de consommation actuelle de l'Europe (3 EC par jour), un million d'habitants vaut trois millions d'UC, et au niveau de consommation de l'Afrique (0,7 EC par jour), un million d'habitants vaut sept cent mille UC, soit environ quatre fois moins. Nourrir l'humanité à un niveau satisfaisant impliquerait de réduire la consommation au Nord et de l'augmenter au Sud, et de faire participer l'échange international à l'équilibre alimentaire mondial.

Les charges humaines praticables par hectare dépendent de cinq facteurs : la consommation alimentaire par tête, l'amélioration des productivités partielles et globales des facteurs de production, l'intensi-

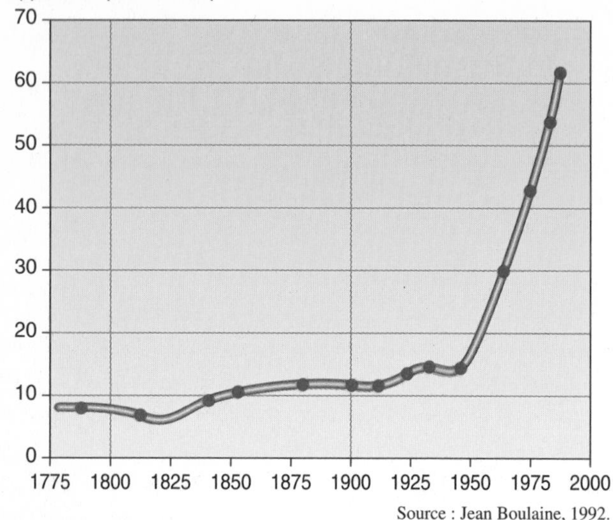

Source : Jean Boulaine, 1992.

France : rendement en céréales. *Cette courbe illustre la lente croissance des rendements jusqu'en 1950 et l'accélération depuis cette date. Cette exponentielle va tendre probablement vers une logistique : la limite liée à la capacité d'utilisation de l'énergie solaire se situant aux environs de 120 à 130 quintaux de céréales.*

fication de la production agricole, la possibilité de produire des denrées alimentaires par d'autres voies, et, enfin, l'échange international.

Si certaines zones du monde se dirigent vers une densification de plus en plus forte de la population, comme cela semble être le cas pour l'Asie du Sud et l'Afrique, il leur faudra adopter un modèle de consommation qui en aucun cas ne saurait être le modèle occidental. Un modèle qui, plus économe en ressources alimentaires, donne la préférence aux calories végétales et évite les pertes et les coûts de transformation sur la chaîne des opérations alimentaires.

L'amélioration de la productivité dépend à la fois du progrès scientifique et de la diffusion des nouvelles technologies tant sur le plan de la pratique agricole que sur celui des pratiques alimentaires. La formation d'une agriculture hautement productive en Occident a résulté de la conjonction de nombreux facteurs tels que le progrès scientifique, le développement de la formation et de l'information des agriculteurs, la contribution croissante de l'industrie à la production alimentaire.

Face à l'exponentielle démographique, l'équilibre alimentaire implique l'exponentielle des rendements (*cf.* schéma ci-contre). De telles tendances sont constatées dans de nombreux pays pour les trois grandes céréales : blé, maïs et riz. Mais c'est surtout dans les pays pauvres que de telles exponentielles sont attendues.

Les biotechnologies sont un nouveau champ d'espoirs. La biologie a fait ces dernières années des progrès extraordinaires, et le génie génétique, les cultures cellulaires, l'embryogenèse sont sources de nouveaux rêves. Les récents procédés permettent sans aucun doute d'accélérer le temps de reproduction ou la sélection et la création de nouvelles variétés. Les transferts de gènes, porteurs de qualités remarquables, peuvent contribuer à améliorer la production quantitativement et qualitativement, à étendre les aires de culture en augmentant la résistance à la salinité, à la sécheresse, aux ennemis des cultures. Malgré tout, le progrès est moins rapide que prévu et son coût très élevé, peu supportable par les pays pauvres. Ces effets risquent de se faire peu sentir dans les vingt prochaines années, alors qu'ils seraient nécessaires.

L'enrichissement des plantes cultivées en protéines et en acides aminés permettrait de réduire nutritionnellement la consommation de viande : l'enrichissement des céréales en protéines par exemple, et notamment celui du maïs en lysine, acide aminé essentiel. Encore faut-il que la réduction de la consommation de viande nutritionnellement possible soit psychologiquement acceptée.

La charge humaine possible à l'hectare dépend des rendements des cultures, de celui des animaux et de l'importance relative des calories animales dans la ration. La croissance des rendements connaît inévitablement certaines limites, telles que celle de la quantité d'énergie solaire qui peut être utilisée par les plantes. Les spécialistes estiment que la limite potentielle du rendement des céréales est de l'ordre de cent trente quintaux par hectare en zone tempérée (plus en pays tropicaux), soit l'équivalent de douze habitants par hectare consommant 3 EC par jour (12 × 3 × 365 = 13 140 kg) et de vingt-quatre habitants à 1,5 EC.

Étant donné cette limite et la moyenne actuelle des rendements dans le monde (de l'ordre de vingt-cinq quintaux de céréales par hectare), et compte tenu de nos connaissances, les marges de progrès sont considérables. D'autant plus que les pays à grande surface par habitant pratiquent une agriculture extensive à faibles rendements.

Plusieurs récoltes peuvent être obtenues la même année sur une même sole, grâce à la combinaison des espèces cultivées et des cycles végétaux. Le nombre de récoltes dépend de l'organisation des assolements et de l'intensité de la production. Ainsi, la révolution verte a-t-elle eu pour objectif d'intensifier la production dans les modèles que nous appelons « asiatiques », dont l'une des caractéristiques fondamentales est la très faible surface cultivable par habitant. Cette intensification a été obtenue par la création de variétés de riz à hauts rendements et à cycles courts, permettant deux à trois récoltes par an. Sur le plan technique, les résultats ont été remarquables, mais ils ont pourtant donné lieu à d'abondantes critiques : le coût du progrès étant élevé, il ne pouvait être supporté par les paysans pauvres. Le progrès technique modifiant les bases matérielles de la production, il nécessite souvent la mise en œuvre de mesures sociales d'accompagnement, destinées à aider les petits paysans.

La possibilité de produire des aliments par d'autres voies que l'agriculture réduirait les charges humaines par hectare cultivé. Ces perspectives avaient suscité beaucoup d'espoirs il y a quelques années. Une meilleure connaissance des faits a rendu les experts moins optimistes. Ainsi la production de protéines de pétrole, obtenues par culture de levures sur déchets pétroliers, s'est révélée, à l'usage, beaucoup trop coûteuse.

Par ailleurs, la pêche et la production de poissons de mer ou d'eau douce ne pourront probablement

Pêche et aquaculture. *Le poisson compte quantitativement peu dans les ressources alimentaires de l'homme : 1 à 2 % des calories et environ 6 % des protéines consommées dans le monde. Il joue cependant un rôle important dans la diversification alimentaire et dans l'équilibre nutritionnel (de nombreux modèles de consommation sont à base de glucides et de protéines formés par les céréales, et d'un complément de protéines formées par le poisson). Accroître les disponibilités en poisson, en respectant les principes d'une production durable, constitue donc un objectif essentiel de l'équilibre alimentaire.* Ph. © Pierre Boulat / Cosmos.

contribuer que pour quelques pour cent au bilan alimentaire mondial. La mer est une jungle à faible rendement bioénergétique : dans certaines zones, la pêche dépasse le croît. Les comportements de nos contemporains ne sont pas ceux des chasseurs prévoyants de l'âge pré-agricole. Certaines espèces se raréfient. Les cultures d'algues, et notamment de chlorelles (micro-algues), n'ont pas répondu aux espoirs formulés par

Aide alimentaire et aide au développement.
L'aide alimentaire d'urgence est nécessaire. L'aide «programmée», adaptée aux rythmes de la croissance alimentaire des pays pauvres, peut se justifier dans une période de transition. Mais l'avenir alimentaire dépend de la croissance du pouvoir d'achat et de la capacité de production, donc de l'aide au développement.
Ph. © Duclos/ Van Der Stockt/Gamma.

les optimistes. Finalement, l'aquaculture se révèle plus difficile à mettre au point que l'agriculture.

Périodiquement, des plantes et des produits miracles sont annoncés, mais jusqu'à présent les miracles attendus ne se sont pas produits. Selon les spécialistes, on n'est pas en mesure d'affirmer que la production d'aliments sans recourir au sol apportera une contribution importante à la nourriture des hommes.

Nourrir l'humanité dépendra donc, comme autrefois, de la croissance agricole. Il faut alors relire l'histoire pour s'interroger sur les facteurs qui favorisent ou freinent la croissance. Les scientifiques doivent être humbles. Certes, la croissance dépend du développement scientifique, mais aussi de l'organisation sociale de la production. Dans les pays pauvres, par exemple, on observe que les conditions préalables à la croissance ne sont pas satisfaites : corruption, mépris du paysan, accaparement de la terre – autrefois collective – par les fonctionnaires et les riches, soumission des paysans, formation et information inadaptées, illusions créées par les idéologies occidentales. En effet, c'est au nom de l'idéologie que les pays pauvres, suivant le modèle socialiste-soviétique, ont souvent enfermé les paysans dans des structures collectives dont ils ne voulaient pas, et dont l'inefficacité s'est vite révélée.

L'examen des faits conduit à penser que de nombreux pays, surtout ceux à forte croissance démographique, ne parviendront pas à la suffisance dans les vingt prochaines années (rappelons que, dans certains, il faudrait doubler la production en une douzaine d'années). Faut-il refuser l'aide au développement, l'aide alimentaire ou l'échange international, comme d'aucuns ont eu l'audace de le proposer?

L'accumulation de la richesse et de la surconsommation au Nord et de la pauvreté et sous-consommation au Sud interpellent l'humanité tout entière. Au Nord, l'opinion ne comprend pas que les politiques de protection des revenus agricoles conduisent à détruire une partie de la production pour maintenir les prix.

D'autant que, dans cette zone, une partie de la population ne parvient pas à satisfaire ses besoins alimentaires. La coexistence de la « surproduction » et de la « sous-consommation » fait scandale. Il faudrait que les politiques agricoles de soutien aux producteurs soient complétées par des politiques de distribution alimentaire aux pauvres. En Europe, environ 5 % de la population vit en état de sous-consommation permanente.

Au Sud, l'insuffisance de l'aide du Nord n'est acceptable que dans le respect du nécessaire développement agricole des pays du Sud. Il est évident que le développement, permettant d'assurer la croissance, est la seule voie raisonnable pour sortir de la société de pauvreté de masse. Mais dans les pays pauvres, comment assurer la croissance sans aide au développement ? L'humanité tout entière a des avantages certains au développement du tiers monde, encore faut-il en créer les conditions.

L'aide alimentaire d'urgence n'est pas discutable. L'« aide programmée », adaptée au rythme de croissance agricole des pays en cours de développement, et qui devrait être une aide temporaire d'équilibre, peut être indispensable. Certes, toutes les formes d'aide ne sont pas nécessairement louables, car derrière le geste apparemment humanitaire, peuvent se cacher toutes les ruses et les médiocrités de la société marchande.

L'échange international peut présenter des avantages relatifs qui aideraient à résoudre le problème alimentaire. Il faut donc rechercher les secteurs où existent de tels avantages et développer l'échange international sur cette base. Pour cela, il faudrait que

L'échange internationnal. *Justifiée, car elle procure les devises nécessaires au développement, l'exportation agricole, fondée sur des avantages relatifs (produits tropicaux), est sans doute souhaitable. Elle doit cependant être accompagnée d'une action vigoureuse en faveur des cultures vivrières et procurer aux agriculteurs les recettes indispensables à l'intensification de la production agricole.*
Ph. © Weiss/Jerrican.

soit enfin mis en œuvre les principes d'un nouvel ordre international, toujours annoncé et toujours attendu, où les rapports de force ne seraient pas l'instrument de régulation et où les pays développés seraient respectueux de la croissance nécessaire des pays du tiers monde. Vaste et difficile programme, qui bute sur les conflits d'intérêts sous-jacents aux négociations internationales.

Au XIXe siècle, l'Europe s'est libérée de la famine, en pratiquant notamment une politique d'émigration. La richesse du Nord, comme les paradis imaginaires, attirent les populations du Sud et de l'Est, et la dérive humaine des continents renforce la pression démographique sur les pays nantis. Les cartes prospectives des densités de population accentuent les contrastes, par exemple entre l'Asie du Sud et l'Australie. Comment les pays nantis pourront-ils résister durablement à la marée humaine ?

Nouveaux systèmes alimentaires

L'homme poursuit ses interrogations commencées il y a trois millions d'années concernant sa nourriture : ses nouvelles réponses entraînent, comme par le passé, la naissance de nouveaux systèmes alimentaires. A l'aube du IIe millénaire, se dessinent de nouveaux systèmes contraints.

La fuite vers d'autres planètes ne sera d'aucune contribution significative à la nourriture des hommes à court terme. C'est sur notre planète que nous devons trouver notre avenir. Or, nous compromettons notre capacité à produire par des méthodes polluantes et destructives. De plus notre capacité agricole est réduite par les concurrences entre les différentes activités. A terme, notre existence même pourrait être menacée.

La charge humaine à l'hectare dépend pour l'essentiel de l'intensification de l'agriculture. Sans aucun doute, il existe des marges importantes de croissance. Mais il faut davantage d'engrais, de pesticides, d'eau, etc. L'exploitation intensive de la nature ne risque-t-elle pas de la dégrader ? Les méthodes d'agriculture minières, épuisant la fertilité des terres, sont responsables de nombreuses destructions de sols à l'échelle de l'histoire. Actuellement, la forte pression démographique dans les pays pauvres conduit au surpâturage, à des déboisements excessifs (nourriture et bois de feu), à l'avancée du désert, à la ruine des sols. Dans les zones d'agriculture intensive, les engrais ainsi que les grandes concentrations de lisiers des élevages industriels polluent (excès de nitrates dans l'eau, eutrophisation des lacs). Il en va de même pour les pesticides (interdiction du DDT). La maximisation du profit conduit souvent à des méthodes d'épuisement des ressources alimentaires qui compromettent notre avenir.

Il faut créer une « nouvelle nouvelle agriculture » (par référence historique à la « nouvelle agriculture » du XVIIIe siècle), qui assurerait la conservation et le renouvellement des ressources. Sa base serait l'intégration des sciences agronomiques et écologiques. Les conditions à mettre en œuvre pour assurer son avènement ne sont pas si faciles qu'on pourrait le penser. Les biotechnologies devraient nous aider à produire des variétés utilisant mieux les engrais, plus résistantes aux ennemis des cultures, fixant l'azote de l'air. Mais quand ? Pourra-t-on mettre au point une agriculture plus économe et plus autonome des consommations industrielles ?

Comme l'histoire agricole procède de l'histoire générale, le développement agricole procède du développement global et de la répartition des ressources productives entre les diverses activités de l'homme et entre les nations. Un exemple particulièrement significatif est celui de l'énergie. Les pays riches en consomment près de dix fois plus par habitant que les pays pauvres. La croissance économique de ces derniers entraînera cependant une consommation plus importante d'énergie. Or, les stocks sont limités et les nouvelles énergies ne sont pas sans dangers. Peut-on assurer la croissance du tiers monde sans réduire la consommation d'énergie dans les pays riches et sans inventer des modèles plus économes et moins polluants ? L'épuisement des réserves ne conduira-t-il pas au développement par l'agriculture d'une énergie renouvelable, concurrençant la production alimentaire ?

Il existe de nombreuses autres formes de concurrence d'activités et d'accès aux matières de base. La concurrence pour l'usage de l'eau devient importante dans plusieurs zones du monde. L'eau joue un rôle décisif en agriculture, mais il faut partager les disponibilités entre l'agriculture, les autres activités utilisatrices et les usages domestiques.

Il est probable que l'humanité consommera à peu près les mêmes aliments et que l'agriculture demeurera la base de l'alimentation. Toutefois, la croissance de la population urbaine dans les pays pauvres, à un taux supérieur à celui de la croissance démographique, substituera des MCA urbains aux MCA ruraux. Le monde, considéré globalement, sera en mesure de se nourrir. Mais dans certains pays la croissance de la production risque fortement de ne pouvoir suivre les rythmes de la population. Il en résultera une baisse des disponibilités par habitant, nécessitant l'aide des pays développés, et la mise en œuvre de politiques alimentaires protégeant les consommateurs en situation critique. Un monde vivable implique de réduire les

inégalités et de trouver des modèles de croissance plus économes de nos ressources.

Mais comment réduire la consommation dans les pays d'abondance, pays en crise qui veulent justement relancer la croissance par une plus forte consommation ? Pour les pays pauvres, en revanche, sortir de la sous-consommation implique de donner une priorité aux cultures vivrières, d'en augmenter la productivité et d'en réduire le coût. C'est en abaissant les prix des

Les nouveaux aliments.
Il est probable que, dans l'avenir, l'agriculture demeure la base irremplaçable de l'alimentation et que les aliments consommés soient peu différents de ceux que nous connaissons. Mais, d'un pays à l'autre, les transferts d'espèces alimentaires et les biotechnologies modifieront les modèles de consommation... Les habitudes alimentaires continuent de se modifier avec la base agricole de production : c'est ainsi que le consommateur européen découvre les kiwis, la viande de bison ou d'autruche...
Ph. © à gauche : Roy / Explorer, en haut : Ch. Testu / Bios.

aliments de base par des gains de productivité, et non par des politiques de bas prix alimentaires sauvegardant le pouvoir d'achat des consommateurs mais détruisant celui des producteurs, que la croissance pourra être assurée. L'histoire nous apprend qu'il ne faut pas détruire les motivations à produire, ni la capacité de production des paysans.

Pour de nombreuses raisons que nous avons déjà énumérées, attendons-nous à des famines dans plusieurs pays du tiers monde, et notamment en Afrique. Si l'humanité ne sait pas faire preuve d'audace et d'imagination, dans l'avenir, obstacles naturels et humains peuvent créer des situations catastrophiques. Alors que faire ? Platon rêvait d'un roi philosophe ; il nous faut espérer un peuple philosophe. Un peuple qui, nourri de techniques, mais aussi d'histoire et de géographie, puisse avoir une vue d'ensemble des problèmes de notre temps et de notre devenir. Un peuple réellement cultivé et sage, qui aurait inventé une pesée d'avantages intégrant toutes les composantes de la vie et celles de notre devenir. Inventer un nouvel avenir, c'est d'abord faire un tel peuple, et réfléchir prioritairement à notre système d'éducation.

Annexes

Un modèle économico-démographique d'équilibre alimentaire

Posons, pour un pays donné :

S = surface agricole,
H = population totale,
Na = population agricole active,
P = production alimentaire totale,
C = consommation alimentaire totale.

Appelons :

H/S = variable peuplement (charge en habitants par hectare agricole),
H/Na = variable développement (charge en habitants par actif agricole).

Observons que :

$$S/H \times H/Na \equiv S/Na$$

La surface moyenne disponible par actif agricole est égale au produit de l'inverse des charges par hectare multiplié par les charges par actif. S/Na est appelée variable pivot car elle relie les transformations internes de l'agriculture au processus global de peuplement et de développement.

Modèle fermé

Faisons d'abord l'hypothèse d'un modèle fermé et définissons les conditions d'équilibre alimentaire nécessaires à un niveau donné de consommation.

Dans un tel modèle, la condition d'équilibre est que la production alimentaire par habitant (P/H) soit nécessaire et suffisante pour répondre à la demande alimentaire effective à un niveau de consommation donné (C/H).

$$P/H = C/H.$$

Sur cette base, on écrit l'identité d'équilibre :

$$\begin{aligned} C/H = P/H &\equiv Na/H \times S/Na \times P/S \\ &\equiv S/H \times P/S \\ &\equiv Na/H \times P/Na \end{aligned}$$

A un moment donné de temps, les variables S/H (peuplement), Na/H (développement), et donc S/Na, sont déterminées. La variable fondamentale d'ajustement est alors la productivité de la terre (P/S). La variable P/Na est elle même déterminée, puisqu'elle est le produit de S/Na × P/S. L'équilibre alimentaire, à un certain niveau de peuplement et de développement, est donc lié à la productivité de la terre. Certes, la productivité du travail doit être compatible avec le nombre de personnes à charge par actif agricole et les niveaux de consommation. Mais, en relation avec le développement, ce résultat peut être obtenu par une substitution d'énergie mécanique à l'énergie humaine et de capital au travail (mécanisation), entraînant une capitalisation (K) croissante de l'agriculture (K/Na).

Applications

Considérons à titre d'exemple deux pays extrêmes : l'un des plus pauvres du monde, le Bangladesh, et l'un des plus riches, les États-Unis. L'annuaire de la FAO nous fournit toutes les informations de base dont nous avons besoin. N'embarrassons pas le lecteur avec certaines corrections qu'il est nécessaire d'opérer. Tenons-nous-en aux résultats essentiels. Comptons en équivalents céréales (EC).

En 1988-1990, la consommation moyenne au Bangladesh est de 2 037 calories finales par jour, dont 1 983 calories végétales et 54 calories animales seulement, soit 2 361 calories initiales ou encore 0,67 kg EC (2 361/3 500) par jour et 246,2 par an. Arrondissons à 250 kg EC par habitant et par an.

Ce chiffre exprime les disponibilités au stade de la consommation, mais ne correspond pas aux quantités réellement consommées, compte tenu des pertes par conservation et préparation. Les pays pauvres consomment tout ce qui est consommable, mais les pertes peuvent être importantes en raison des techniques de stockage praticables. Raisonnons ici exclusivement au niveau des disponibilités effectives, dont seuls les chiffres nous sont connus.

En 1990, on calcule que le nombre d'habitants par actif agricole est de 5 (charge par actif d'un pays peu industrialisé) et la densité de population par hectare agricole de 11,9, soit 1 190 habitants par kilomètre carré agricole (charge d'un pays très densément peuplé), soit une très faible surface par habitant : 0,08 ha, très typique d'un modèle asiatique.

Sur cette base, on calcule encore que la productivité de la terre devrait être de 2 975 kg EC (11,9 × 250), soit près de trois tonnes d'équivalents céréales par hectare, et la productivité du travail de 1 250 kg EC (5 × 250), soit un peu plus d'une tonne. Observons que la surface par unité de travail agricole est très petite : 0,4 ha (soit S/Na × H/Na = 5 × 0,08 = 0,40).

Pour assurer l'autonomie alimentaire à un bas niveau de consommation, le Bangladesh doit avoir une agriculture relativement intensive. Observons encore que pour se nourrir au niveau intermédiaire de 1,5 kg EC, il faudrait produire 6 515 kg EC (1,5 × 365 × 11,9), soit un peu plus de six tonnes par hectare et par an. Est-ce possible ? Sans doute, en étendant la révolution verte, mais il faudrait que l'État organise l'infrastructure nécessaire, que les pays riches aident à construire les usines d'engrais, que les paysans du Bangladesh disposent d'un pouvoir d'achat suffisant, qu'ils soient formés, que la terre puisse supporter écologiquement l'intensification nécessaire, etc. Mentionnons en outre que les chiffres de production calculés devraient être majorés des pertes en calories sur la chaîne alimentaire, pertes souvent importantes, pouvant représenter jusqu'à 25 % de la récolte.

D'autre part, la population continue de croître, bien que le taux de croissance tende à diminuer, passant de 2,7 % dans les années 70 à 2,2 % dans les années 80. Les terres disponibles sont limitées, et, de 1975 à 1980, la surface par habitant est passée de 0,12 à 0,08 ha.

Considérons maintenant les États-Unis. En 1988-1990, les disponibilités moyennes par habitant et par jour sont de 3 642 calories finales dont 2 535 végétales et 1 107 animales, soit 10 284 calories finales et 2,9 kg EC par jour et 1 072 par an. En 1990, la charge d'habitants par actif agricole est de 86,8 et par hectare de 0,57. Par des calculs analogues à ceux effectués ci-dessus, on constate que pour nourrir leur population, les États-Unis devraient avoir une productivité de 0,6 tonnes EC par hectare et de 93 tonnes EC par actif.

La surface par actif est très élevée, en raison de la grande surface par habitant et du très faible pourcentage de la population agricole active dans la population totale (1,1 %). Cette surface est proche de 150 ha (1,72 × 86,8 = 149,3).

La comparaison de ces deux pays nous montre clairement comment les types d'agriculture procèdent de l'adaptation de l'agriculture à la société globale, notamment par le jeu des variables peuplement et développement. L'agriculture du Bangladesh est une agriculture intensive, à forte productivité de la terre et faible productivité du travail, fondée sur de petites exploitations à base de travail. Elle consomme plus d'engrais par hectare de terres arables en 1990 (1 022 kg d'éléments fertilisants) que les États-Unis (970 kg). La part des pâturages permanents est faible alors qu'elle est très importante aux États-Unis.

L'agriculture des États-Unis est une agriculture extensive, à faible productivité de la terre et à très forte productivité du travail, fondée sur de grandes exploitations mécanisées.

Laquelle de ces deux agricultures est la meilleure ? Difficile à dire, car elles n'ont pas été conçues dans le même contexte socio-économique et ne répondent pas aux mêmes besoins. L'agriculture américaine est soixante-quinze fois plus productive par travailleur que celle du Bangladesh, et celle-ci est cinq fois plus productive par hectare que celle des États-Unis. Mais l'agriculture américaine nourrit mieux par habitant que celle du Bangladesh (le niveau de consommation est quatre fois plus élevé aux États-Unis) ; on peut donc constater que l'agriculture américaine est, dans le contexte socio-économique dont elle est le reflet, et compte tenu des avantages relatifs dont elle bénéficie, mieux adaptée à sa fonction.

Modèle ouvert

Ni le modèle du Bangladesh ni celui des États-Unis ne sont des modèles fermés. Le premier est importateur et bénéficie de l'aide alimentaire, le second est exportateur et participe à l'aide alimentaire et à l'aide au développement. L'exportation des États-Unis permet de mieux utiliser la capacité productive et d'intensifier la production, qui se trouve ainsi très supérieure au seuil de productivité de satisfaction alimentaire nationale. Les productivités réelles sont donc supérieures pour ce pays à celles de l'« autosuffisance ».

Le Bangladesh a certes le droit de se nourrir, mais il éprouve de grandes difficultés à le faire à un niveau satisfaisant. Il a besoin d'une aide qui n'entrave pas son propre développement.

Ce modèle permet de repérer et d'expliquer les types d'agriculture dans le monde. Il constitue une base fondamentale de réflexion. Bien que ces calculs soient grossiers, ils permettent des conclusions probables. Il serait souhaitable que de tels calculs se répandent, afin de détruire certaines affirmations d'ordre idéologique plutôt que scientifique.

Glossaire

Agro-système : système constitué par une combinaison d'espèces cueillies, cultivées et (ou) élevées en vue de satisfaire des besoins déterminés, et par une combinaison de moyens (travail, capital) appliqués à ces espèces et à la surface agricole de production. Exemples : système pastoral, système de polyculture et d'élevage intensif, système céréalier extensif.
Aliment : toute substance utilisée par l'homme pour apaiser sa faim. Le caractère universel de l'aliment est d'être nourrissant. Cependant il ne suffit pas qu'une substance soit nourrissante pour qu'elle constitue un aliment. Selon Jean Trémolières, l'aliment a trois caractéristiques fondamentales : il est nourrissant (il contient des nutriments), appétant (il excite l'appétit), coutumier (il est habituellement consommé au sein d'une société donnée).
Aliment agricole : aliment de l'âge agricole. Il résulte essentiellement de l'activité agricole et domestique.
Aliment agro-industriel : aliment de l'âge agro-industriel. Il est le produit des secteurs agricole, industriel et des services. La denrée alimentaire incorpore des quantités croissantes d'activités secondaires et tertiaires sous forme de commodités alimentaires.
Aliment sauvage : aliment de l'âge pré-agricole. Il est prélevé sur les disponibilités naturelles.
Aliment servi : aliment mis à la disposition du consommateur sur sa table ou au comptoir du restaurant libre service. L'aliment servi supprime totalement le travail domestique alimentaire du consommateur. Au stade de l'agro-industrie, son expansion est liée au développement de la restauration. Il entraîne l'industrialisation totale de la chaîne alimentaire.

Aliment service : aliment dont l'usage est facilité par des commodités de conservation, de stockage, de consommation, etc. L'aliment service réduit en général le temps de travail domestique alimentaire. Il répond particulièrement bien aux exigences de notre société et est essentiellement le produit de l'âge agro-industriel. Cependant, toutes les périodes ont produit des aliments services : le pain, par exemple, est un aliment service très ancien.
Autonomie alimentaire et autosuffisance : l'autonomie alimentaire implique qu'un pays produise les aliments nécessaires pour satisfaire la demande effective sans recourir à des importations nettes. Mais la demande effective, compte tenu du pouvoir d'achat, peut correspondre à un niveau de consommation inférieur au niveau souhaitable. Dans ce cas le pays autonome n'est pas autosuffisant.
Avantages relatifs : on dit que le bien A présente des avantages relatifs par rapport au bien B si A procure une plus grande satisfaction à son utilisateur. Cet avantage guide les comportements humains en tendant vers une maximisation des satisfactions quantitatives et qualitatives, des nécessités et des plaisirs. L'appréciation des avantages peut reposer sur des méthodes très subjectives et très approchées, l'étendue des choix étant limitée par des interdits et des croyances diverses. Cette méthode peut cependant guider les comportements et procéder d'une rationnalité empirique fondée sur l'observation des faits. Il en fut d'ailleurs longtemps ainsi. Ce n'est qu'au XIXe siècle que se développèrent des choix plus rationnnels fondés sur la connaissance scientifique des faits.

Base alimentaire : ensemble des espèces cueillies, chassées et pêchées (techniques d'acquisition), cultivées et élevées (techniques de production), consommées par une société et provenant du territoire occupé par celle-ci et d'échanges avec l'extérieur, en vue de satisfaire ses besoins alimentaires.

Calorie : quantité de chaleur nécessaire pour élever la température d'un gramme d'eau de quinze à seize degrés centigrades (1 kg calories = 1 000 calories = 4,184 kilojoules). Un gramme de nutriment glucidique (ou protéique) fournit 4 kg calories et un gramme de nutriment lipidique en fournit 9. La connaissance de la composition nutritionnelle des aliments permet donc de calculer l'apport énergétique d'une combinaison alimentaire. La ration alimentaire est généralement exprimée en calories par les nutritionnistes.

Calories finales, agro-industrielles, agricoles et initiales : l'évaluation du flux énergétique alimentaire en différents points de la chaîne d'activités alimentaires permet de distinguer différentes catégories de calories agro-alimentaires. Les calories finales sont évaluées dans la « bouche du consommateur », les calories agro-industrielles à la sortie des industries alimentaires, les calories agricoles correspondent à la valeur énergétique des produits de l'agriculture et de l'élevage (calories végétales et animales), les calories initiales sont les calories alimentaires végétales disponibles au début de la chaîne d'activités alimentaires.

Le nombre de calories initiales nécessaires pour produire une calorie finale dans la bouche du consommateur varie beaucoup selon les chaînes alimentaires : l'importance et les formes de l'élevage, le degré de sophistication des aliments, les pertes sur la chaîne, le gaspillage, etc. Sur la chaîne française, vers 1980, il fallait en moyenne neuf calories végétales pour produire une calorie dans la bouche du consommateur.

Chaîne d'opérations agro-alimentaires : ensemble des opérations techniques nécessaires pour rendre une substance alimentaire disponible au niveau du consommateur et consommable à un moment donné (acquisition, production, transformation, conservation, distribution, préparation culinaire, etc.).

Classification bionutritionnelle des aliments : celle-ci combine l'origine des aliments (espèces végétale et animale) avec leur richesse relative en nutriments. C'est ainsi que les fruits, le sucre et le miel, les céréales, les racines et tubercules sont relativement riches en glucides. Les légumineuses, les viandes, les œufs, le lait et les produits laitiers, les poissons et les fruits de mer sont riches en protéines. Les huiles végétales, les huiles et graisses animales, les noix et les oléagineux sont riches en lipides.

Complexe vivrier : complexe agricole organisé en vue de fournir des plantes et des animaux susceptibles d'assurer un équilibre nutritionnel aussi satisfaisant que possible aux utilisateurs.

Par exemple, une combinaison céréales (glucides), légumineuses (protides), colza (lipides). Étant donné le champ des substitutions agronomiques et nutritionnelles possibles, il existe de nombreux complexes vivriers.

Équivalents céréales : indicateur commode et évocateur permettant de mesurer la production et la consommation par habitant. Les céréales fournissant des calories végétales, la valeur en équivalents céréales se mesure sur la base du nombre de calories initiales. Sachant que 1 kg de céréales vaut en moyenne 3 500 calories initiales, le nombre d'équivalents céréales est égal au nombre de calories initiales divisé par 3 500. Exemple : la consommation européenne moyenne par jour et par habitant est de 3 500 calories finales, dont 1 200 calories animales, soit : 2 300 + (1 200 × 7) = 10 700 calories initiales, soit approximativement 3 kg EC par jour.

Modèles agro-nutritionnels (MAN) : représentations des disponibilités alimentaires moyennes par habitant fondées sur les bilans alimentaires par pays et sur la classification agro-nutritionnelle des aliments. Ces modèles permettent d'établir une géographie de l'alimentation à l'échelle mondiale. Les profils agro-nutritionnels permettent de visualiser et de comparer les MAN.
Modèles de consommation alimentaire (MCA) : les MCA se rapportent, pour un groupe social déterminé, à la façon dont le groupe s'organise pour consommer (unité socio-économique de consommation, repas pris au sein et en dehors de l'unité), aux fonctions et pratiques alimentaires des unités socio-économiques de consommation (USEC), au volume et à la structure de la consommation et de la dépense, aux rapports de consommation.
Modèle ouvert et modèle fermé : les économiste nomment « modèle fermé » un ensemble théorique ou concret qui ne pratique pas l'échange internationnal. Par opposition un modèle qui pratique l'échange est dit « ouvert ».

Nourritures : selon la terminologie utilisée dans cet ouvrage, l'aliment est une substance nourrissante, mais les nourritures

sont des combinaisons d'aliments, cuites et cuisinées. Il y a plusieurs façons de cuire (grillé, rôti ou bouilli) et de cuisiner. La cuisine implique des mélanges selon des proportions définies par des « recettes ». Elle implique des fonds de cuisine (huile, beurre, graisse, etc.) et des assaisonnements (épices, herbes, arômes). Les nourritures sont des combinaisons d'aliments, d'odeurs, de couleurs et de saveurs.
Nutriments : principes actifs des aliments. Le corps humain est fait d'eau, de protides, de lipides et d'éléments minéraux, composants fournis par les aliments et les boissons. Les nutriments comprennent les glucides ou hydrates de carbone (sucre, amidon), les protéines (matières azotées), les lipides (matières grasses), ainsi que les oligo-éléments, les vitamines et les minéraux.

Restauration du « temps libre » et restauration du « temps compté » : au stade de l'agro-industrie, ces expressions désignent deux formes de restauration qui ne répondent pas aux mêmes objectifs et n'utilisent pas les mêmes méthodes ni les mêmes moyens. Ces deux types de restauration sont aussi dites « festives » et « quotidiennes ». Mais, étant donné la diversité des formes d'adaptation de la restauration à la diversité des aspirations sociales, la classification n'est pas toujours aisée. A la première forme correspond la restauration rapide, à la seconde, la restauration à caractère gastronomique.

Système alimentaire : façon dont les hommes s'organisent pour obtenir leurs aliments et pour consommer, ainsi que la nature et l'importance de cette consommation. Il comprend l'ensemble des activités qui, dans une société donnée, concourent à la fonction alimentation dans cette société.

Bibliographie

Anthropologie

FARB, P., ARMELAGOS, G., *Anthropologie des coutumes alimentaires*, Denoël, 1985.
FISCHLER, C., *L'Homnivore : le goût, la cuisine et le corps*, Éditions Odile Jacob, 1990.

Histoire des plantes cultivées

HAUDRICOURT, A.-G., HÉDIN, L., *L'Homme et les plantes cultivées*, Éditions A.-M Métailié, 1987.
HARLAN, J. R., *Les Plantes cultivées et l'homme*, Agence de coopération culturelle et technique, PUF, 1987.

Histoire de l'alimentation

BARRAU, J., *Les Hommes et leurs aliments : esquisse d'une histoire écologique et ethnologique de l'alimentation humaine*, coll. « Temps actuels », Messidor, 1983.
MAURIZIO, A., *Histoire de l'alimentation végétale*, Payot, 1932.
TOUSSAINT-SAMAT, M., *Histoire naturelle et morale de la nourriture*, Bordas, 1987.

Économie agro-alimentaire

MALASSIS, L., *Économie agro-alimentaire*, t. 1, *Économie de la production et de la consommation alimentaire*, Cujas, 1979.
MALASSIS, L., PADILLA, M., *Économie agro-alimentaire*, t. 3, *Économie mondiale*, Cujas, 1987.

MALASSIS, L., GHERSI, G., *Initiation à l'économie agro-alimentaire*, Hatier-Aupelf, 1992.
KLATZMANN, J., *Nourrir l'humanité : espoirs et inquiétudes*, Economica, INRA, 1991.

Données de base

FAO, Annuaire de la production et annuaire de la commercialisation.

Index

(les pages en *italique* renvoient à des illustrations)